「そうじ力」であなたが輝く!

幸運を呼びこむカンタンな魔法

舛田光洋 Masuda Mitsuhiro

総合法令

プロローグ

あなたを輝かせる魔法があります

誰でもカンタンに人生大逆転！

この本は、**あなたが持っている輝きを引き出して、幸せになれる**方法を書いた本です。

どんな人も、それぞれの美しさを持っています。それぞれすばらしい才能を持っているのです。もちろん、この本を手に取ってくれた「あなた」にも、他の誰にも負けない、あなただけのすばらしい輝きがあるのです。

では、どうやってその輝きを見つけましょうか？　じつは、もっとも効果的で、そしてカンタンに、誰でもできる方法があるのです。

それは、なんと、**「そうじ」をすること**なのです！

そうです。あの「面倒くさいなー」と言いつつ、しょうがなく義務としてやっている家事のそうじです。

もし、イヤイヤやっていたり、誰かにやらせたりしているとしたら、これはすごくもったいないことなんです。

じつはそうじは、ただ単に場所をキレイにするだけではなく、**あなた自身の輝きを生み出してくれる**のです。

そして、**悩みや問題の解決、仕事の成功、恋愛成就、収入アップ、そして夢をかなえてくれる**のです。

これを私は**「そうじ力」**と名付けました。

そうじには、2つのパワーがあるのです

このそうじ力には大きく分けると、2種類のパワーがあります。

それは、マイナスを取り除き、**本来のあなたの能力を発揮させるパワー**（マイナスを取り除くそうじ力）と、プラスを引き寄せ、**どんな夢もかなえるパワー**（プラスを引き寄せるそうじ力）があるのです。

後ほどくわしくお話しさせていただきますが、マイナスを取り除くには、換気、ゴミ捨て、ヨゴレ取り、整理整頓、炒《い》り塩による場の浄化。そして、プラスを引き寄せるには、その場所に「ありがとう」というプラスの言葉・思いをのせて、「ありがとう空間」をつくることです。

そうじだけでそんな効果あるわけがないと思いますか？

でも、これを使って、ほんとうにすごい効果を生み出している有名人がいるんですよ。

キレイをつくる行動は、魔法を生み出します

このそうじ力を自然に使って、本来の内面の輝きを引き出し、幸運をつかんだ女性……。それは、あなたも知っている超有名人、２人です。

なんと、彼女たちは、**運命の王子さまとめぐり合ってお姫さまになってしまったんです！** 紹介しましょう。

まずひとり目は**「シンデレラ」**です！ 誰もが知っていますよね。つまり、今風に言うとスーパーセレブですね（笑）。

彼女は両親を亡くしてから、継母や異母姉妹たちに奴隷のように扱われました。灰かぶり（シンデレラ）と呼ばれていたどん底人生でした。でも、しんせつな魔法使いのおかげでステキな王子さまと豪華な王宮暮らしを手に入れたのです。

もうひとりは誰でしょう？　なんと、あの**「白雪姫」**です。

白雪姫も継母の嫉妬に殺されかけて、森の中に逃げ込みました。そして、継母に毒リンゴで殺されかけるという最悪な状況から、王子さまと出会うチャンス（仮死状態で棺桶に入っている白雪姫に王子さまは一目ぼれします）をものにしているのです。

たしかに、彼女たちは魔法で幸せになっているかに見えますが、魔法を使っているのは、しんせつな魔法使いではありません。

そうです。**ほんとうに魔法をつかっているのは、お姫さまたち**なんです。

運のいい２人の共通点、それは……。

シンデレラは、どんなにいじめられても、灰をかぶりながらも、継母や姉妹のためにそうじをしています。

白雪姫も、小人たちのためににこやかに明るい歌を歌いながら、そうじをしています。

そう、**幸せなお姫さまは、そうじ力の魔法を使っていたんです！**

だから、彼女たちにふさわしいステキな王子さま、お姫さまという地位、セレブな王宮暮らしを手に入れたのですね。

さあ、あなたが手に入れたい「お姫さまへの道」、つまり、あなたにふさわしい「あなたの生き る道」はどこにあるのでしょうか？

うれしい感想が多くの女性から寄せられました

半年ほど前に、**『夢をかなえる「そうじ力」』**（総合法令出版）を出版させていただき、おかげさまでわずか数ヶ月の間に増刷を何度も重ねています。この本は、そうじ力の2つのパワーのことを中心に、人生で成功するための法則として、主に男性ビジネスマンに向けて出版させていただきました。

しかし驚いたことに、女性からの反響がとても多かったのです。出版以来、多くの女性からうれしい報告や相談を受けるようになりました。

その中でも「マイナスを取り除くそうじ力」の、捨てる技術や、ヨゴレ取りで、人生を好転させるキッカケをつかんだということをお聞きしたのです。

そして、この方法をもっとくわしく教えてほしいという要望を受けました。
以下が、「マイナスを取り除くそうじ力」についての反響の一例です。

※　夜中に読み終わったのですが、トイレに飛んでいって朝まで磨き続けました。なぜだか、涙が止まらなくなりました。心が洗われたようです。

※　仕事に追われる毎日でした。それでも満足しているつもりでした。でも、家中のそうじをしたら、もっと私の人生にとって重要なことがあることに気が付きました。付き合っている彼と結婚して彼の地元に行く決心をしました。今は幸せでいっぱいです。

※　私が経営するお店のそうじを徹底的にやるようにしました。それだけではなく、街頭のそうじもはじめました。なんと、赤字続きの会社が黒字に転じました！　同業者にその秘密を問いただされているところです！

※　ついこないだ、22歳の頃から8年間付き合っていた彼氏と別れました。つらくてつらくてずっと泣いていました。でも、舛田先生の本を読んで、とにかく8年間溜め込んだ思い出の数々を捨て去りました。勢いづいてクローゼットの中のものもゴミ袋14袋分捨てました。今は、不思議なことに「彼を卒業したん

だなあ」という意識に変わってきたのです。まだ、ちょっと立ち直っていないけど、なんだか、気分がスッキリしています。

※　私はずっと母親とうまくいっていませんでした。でも、この本を読んで、もしかしたら……と思い、母親がよく使う油でギトギトしているレンジを重曹で心を込めてキレイに磨きました。その2日後、食事中に母親が自分の思いをなぜか話してくれました。まだ、お互いに分かり合えるのは時間がかかるかもしれませんが、ひとつ進展できました。ありがとうございます。この本に出会えて幸せです。

たくさんのお手紙やメールを頂いたことによって、自分を変えるきっかけ、自分が成長する方法を探している女性が多いことをあらためて思い知らされました。そこで、今回は、主に女性に向けて、マイナスを取り除き、本来のあなたの能力を発揮させる、**「マイナスを取り除くそうじ力」を深く掘り下げてお話しさせていただこう**と決心したのです。

ここまで読んでいただけた方は、もうお気付きかと思います。この本は、多くのそうじ関係の本のように洗剤選びや細かいヨゴレ落としグッズは載せていません。

なぜなら、**そうじ力はぞうきんをしぼることさえできれば、誰でもできる幸運を呼び込む方法**だからなのです。

さあ、あなたの輝きを見つけるために、お話をすすめていきましょう。

Chapter 1 幸せになれる「そうじ力」のしくみ

Chapter

2 汚れている場所によってあなたの問題点が見えてきます

Chapter 3 あなたの身の回り・体・心をキレイにする「そうじ力」

Chapter 4 これなら誰でも実践できる！

Chapter 5 そうじ力Q&A

装丁　EBranch 冨澤崇
装丁・本文イラスト　ひぐちともみ

Chapter 1
幸せになれる「そうじ力」のしくみ

あなたの部屋はあなた自身です

人生と部屋は関係がある!?

さっそくですがあなたに質問です。

「いま、あなたは毎日が充実していますか?」

朝、自然と目が覚め、夢に向かってイキイキと毎日楽しく取り組んでいますか?

それとも、朝起きても疲れが残っていて、「何かいいことないかな」が口ぐせになっていませんか?

もうひとつ質問です。

「いま、あなたの部屋はキレイですか?」

ご自宅でこの本を読んでいる方は、一旦本を閉じて、部屋を見回してください。

書店やカフェで読みはじめている方は、さっきまでいたあなたの部屋を思い浮かべてください。

いかがでしょうか？

床がホコリだらけということはありませんか？

買いすぎたもので部屋があふれかえっていませんか？

キッチンのコンロまわりは油でギトギトしていませんか？

トイレは臭くヨゴレていませんか？

浴室はカビだらけではないですか？

じつは、**あなたの住んでいる部屋は、あなた自身をあらわします。**

また、**あなたの人生は、あなたの部屋そのもの**と言えます。

もし、あなたの部屋が汚いとしたら、残念ながら「幸運」も「夢」も「ツキ」も、みーんな逃げてしまっています。しかも、ただ逃げていくだけではありません。ほうっておくと、悪運を引き寄せてしまいます。

そうです。恋愛がうまくいかないのも、仕事で失敗ばかりなのも、ダイエットが続かないのも、貯金額が増えないのも、なんだか最近つまらないのも……、あなたの部屋が汚いからなんです。

ショックを受けましたか？　でもこう考えられますよね？　そう、部屋が汚くて運が悪くなっているならカンタンな話です。

そうじをすれば運がよくなります。あなたの人生が輝くのです。

いま幸せかどうか部屋を見ればわかります

私は、現在、そうじ力研究会代表として、オフィスなどの環境コンサルタントをしています。また、今まで、10年以上、ハウスクリーニングやビルメンテナンスの仕事で多くの家庭、オフィスを訪問させていただきました。

そこで**「部屋は住んでいる人の人生をあらわす」**という法則に気が付いたのです。キレイな部屋の住人は、幸福感を強く持っていました。キレイさを保つためのハウスクリーニングでした。

逆に、ハウスクリーニングを呼ぶにしても、あまりに汚いと思うような家は、やはりその家庭はうまくいっていませんでした。

業者として訪問しても、家庭状況が悪化していることは一目瞭然です。壁に、こぶしの後が残っている部屋もありました。それどころか、他人がいる前で、罵り合っていることもありました。

じっさいに、家庭内暴力を目撃することもありました。家族がみんな出て行ってしまい、奥さんがひとり残っているゴミ屋敷を訪れたこともあります。

また、売り上げが上がらないと嘆く会社は、必ず驚くほど汚い場所があります。だいたい、倒産寸前のお店はトイレが汚いという例もあります（ぜひ、みなさんもご確認ください）。

それでも、ハウスクリーニングを頼んでキレイにしようというお考えの家庭や会社は、人生や社運を好転させたいという意識があるのだと思います。

キレイにした後に、そのキレイさを保つアドバイスどおりにしていただいた方は、状況が好転したといううれしい報告も受けるようになりました。

そのうち私は、ただ単に、汚い＝不幸ということだけではなく、**どこの部分がヨゴレているかによって、どういう問題点があるのか**ということに気が付いたのです（これは、Chapter 2以降でくわしくお話ししたいと思います）。

だから、いくらあなたが一見キレイな服を着ていても、キレイにメイクをしていても、もし、部屋が荒れ放題だったら、幸せな人生を逃していることがわかってしまうのです。

人の心が場所をつくります

マイナスがマイナスを呼ぶ「マイナス・スパイラル」

汚い部屋が、どうして運を悪くし、あなたの人生にまで影響するのでしょうか?

人の心からは想念というエネルギーが発せられます。人が住む場所や、人々が集まる場所には、そこにいる人たちの想念が集まり一定の「磁場」ができるのです。場所が磁場というエネルギーを発しはじめるのです。

心に、ねたみ、悩み、不安、猜疑《さいぎ》心というマイナスのエネルギーがあると、そのエネルギーが集まりマイナスの磁場ができます。

つまり、**人の心が場所に反映される**のです。

それだけではありません。波調同通の法則というのをご存知でしょうか?

「類は友を呼ぶ」ということわざです。これは、「似ているものは自然に引き合う」という意味です。

マイナスの磁場は、同じマイナスのエネルギーを持つ**ゴミやヨゴレ**を引き寄せます。ヨゴレだけではなく、**他のあらゆるマイナスエネルギーや不運**まで引き寄せてしまうのです。そして、場所のヨゴレから引き寄せられるマイナスは、また心にも影響を与え、さらに不安や悩みが増えていくのです。

このように汚い部屋をそのままにしておくと、次から次へと相乗効果で部屋も心もマイナスのスパイラルにのみこまれてしまうのです。汚い部屋はヨゴレを引き寄せ、マイナスエネルギーを引き寄せ、不運を引き寄せてしまうのです。

ヨゴレた空間は危険がいっぱい！

ヨゴレた空間がマイナス・スパイラルを生むことは、アメリカの心理学、フィリップ・ジンバルド教授の実験でちゃんと証明されているのです。

ボンネットが開けっ放しの車でも、まったく壊れていない車を一週間放置しても荒らされません。しかし、これに**窓ガラスの割れを加えただけで、たった10分**

で盗難や破壊で廃車同然になってしまうのです。

これを、**「ブロークンウィンドウ理論」**と言います。

つまり、小さなマイナスをほうっておくと、さまざまな大きなマイナスまで引き寄せてしまうということです。

この理論をニューヨーク市の地下鉄が応用して、**落書き消しを徹底したところ、重犯罪が75%も減少**したそうです。日本では札幌のすすき野にこの理論を取り入れ成果をあげているようです。

じつは、私もこのマイナスのスパイラルに飲み込まれてしまったことがあります。今から、12年前のことです。

事業も失敗し、そして離婚。借金も多くつくってしまい、人生のどん底を味わいました。さらに、引きこもり状態で、精神的危機にまで陥りました。

このときの部屋はお恥ずかしいことに、ゴミ屋敷状態だったのです。

ですから、汚い部屋は不幸を呼ぶということを、あなたにもお伝えしたいのです。

心のマイナスを取り除く

「ほんとうの自分」は外にはありません

一時期、「自分探し」というのがブームになったことがありました。はるか遠い外国まで旅をしたり、自己啓発セミナーのはしごをしたり……。

いまでも、書店の自己啓発のコーナーに行くと、「ほんとうの自分」を捜す本が多く並んでいます。

じつは、私もそのひとりでした。特に私の場合は一攫千金を目指して、中途半端にいろいろな分野に手を出して起業を繰り返しては失敗していました。

ほんとうの自分……。満たされた輝く自分はどこにあるのでしょうか？

女性の方は高い化粧品を使ったり美容整形をしたりすれば、もしかしたら、輝

くような美人になって新しい人生がはじまるかもしれません。

また、成功している人の体験談を聞けば新しい道が見つかるかも知れません。

でも、なかなかうまくいかないのが現状ではないでしょうか？

なぜなら、**「ほんとうの自分」とは、どこからか見つけるものではない**からです。

誰でも、一人ひとり、その人の強みがあります。その人だけの輝きがあるのです。

あなたの輝きは、外にあるのではないのです。あなたの内側に眠っています。

もし、今あなたが「ほんとうの自分」を探していたり、自分には才能や輝きがないと思っていたりしているのなら、**心にマイナスのエネルギーが溜まっていて、あなたの輝きを隠してしまっている**のかもしれません。

「なりたい自分」はプラス思考ではなれません

なりたい自分を目指して努力している人もいるでしょう。よく言われるのは、プラス思考で強く願えば実現するというものです。

でも、なかなか実現するのは難しいですよね？

この失敗の理由も、心のマイナスエネルギーのせいです。一時テンションは上がりますが、長持ちはしないのです。また、成功したかのように見えても、その反動が大きいのも特徴的です。

なぜなら、「できる!」「なれる!」と何度も唱えても、いくらイメージしても、**心のマイナスエネルギーが「やっぱりムリ」と打ち消してしまう**のです。

輝きを取り戻して「なりたい自分」になる方法

人の心の反映が場所をつくるというのはさきほどお話ししましたね? また、「類は友を呼ぶ」ように同じエネルギーが影響し合っていることもお話ししました。

つまり、**部屋のそうじをすれば、あなたの心のマイナスエネルギーも取り払われる**のです。あなたの持っている輝きがあらわれてきます。そして、ここではじめてプラスの想いがスッと入れる状態になるのです。

そう、これが**マイナスを取り除く「そうじ力」**なのです。

人はみんな幸せになるように生まれてきています。もし、あなたの人生、不幸しかなかったというのなら、このそうじ力を使うだけで幸せを感じることができるでしょう。でも、それは、本来のあなたの実力=幸せなのですよ。

そうじ力で生まれ変わる

汚さを認めることができたらOKです

実践に入る前に、ここで**あなたが本来の輝きを取り戻して、幸せになれるかどうかの分かれ目**があります。とても重要なポイントです。

この章のはじめに、「あなたの部屋はあなた自身をあらわしている」とお話ししましたね。もし、この言葉を聞いてドキッとしたなら、その気持ちを忘れないでください。

それは、「あなたの部屋の状態があなた自身であると認識した」ということです。カビ、ヨゴレ、不要物、ゴミ、あらゆるマイナスのエネルギーを、あなた自身がつくり上げたものであると認識したということです。このドキッとした心が「現

状を把握した」ということなのです。自分自身を客観的に見ることができるというのは、**幸運を引き寄せることができる人の特徴**なのです。そのくらい、自分を客観的に見つめることは非常に難しいのです。

この力によって、「間違った方向に自分自身が進んでしまっている」ということがわかるようになってきます。

気付くことで、自然とブレーキをかけることができます。ドキッとする度合いが強ければ強いほど、より強くブレーキを踏み込むことができるでしょう。「私の行く道はこっちじゃない！」車で考えると、サイドブレーキを引きながら方向転換を決めるのです。

気付いた時点で生まれ変われる

思いっきりブレーキをかけて人生を方向転換していった女性を紹介しましょう。

前作の本を読んで私の講演会に参加してくれた28歳の藍子さん（仮名）は、シンプルなパンツスーツが似合う都会的な美人さんでした。

彼女はつい最近まで、執拗なまでに「美」を追求していたそうです。ブランド物の新作をいつも身に付け、次々と化粧品を買いあさり、毎週エステに通いキレイになる努力をしていたそうです。

しかし、彼女いわく「いっこうに幸せになれなかったのです。むしろ、不幸が寄ってきていました」という状況だったようです。

キレイになって幸せを得るために、毎月カードは限度額いっぱい使っていて、いつもお金が足りないくらいだったと言います。そして、よってくる男の人にはストーカー行為をされ、やっと得られたやすらぎは上司との報われない愛でした。

そんな彼女にブレーキを掛けさせたのは「あなたの部屋はあなた自身である」という言葉でした。彼女は自分の部屋を見渡し、しばらく呆然としたそうです。しかし、彼女は気付きました。

「私が追い求めてきた〝美しさ〟はもしかしたら間違った方向に進んでいたのかもしれません」

そこで彼女はサイドブレーキを掛けハンドルをきりました。Uターンをし、方向転換をしたのです。

ブランド物はよく使う数点を残してリサイクルショップに持っていき処分しました。クローゼットのあふれる洋服の大半は捨てました。キッチンの流しにあふ

れるカップラーメンやインスタント食品の空き容器（外食が多く、家での食事もインスタントばかりだったそうです）を一掃し、ヨゴレを磨いていきました。

その後、出費をひかえるため自分のライフスタイルにあわせて自炊をするようにしたら、エステでしぼっても痩せにくかったのに、体重が5キロも減って肌もキレイになってきたそうです。

磨き上げたキレイなバスタブでゆっくりリラックスしていると、「ほんとうのキレイは内面から輝くことなんだな」という思いがわきあがったそうです。

その後、妻子持ち上司をスッパリ捨て去り、会社を辞めました。運よく前から興味を持っていた映画関係の会社で採用が決まり、2週間前から働きはじめたそうです。

ほんとうの美しさを知っている彼女なら、きっと芸術方面の仕事もうまくいくことでしょう。内面から自信という美しさが輝いている彼女を見て、私はそう確信しました。

人は気付くことで変われるのです。現状を受け入れた時点で、別のあなたになっているのです。さあ、あなたのサイドブレーキを引いて、思いっきりハンドルを切りましょう。

マイナスを取り除くそうじ力とは?

さあ、あなたの部屋をもう一度見回してください。ちゃんと認識しましたか?目をそらしてはいけません。隠して見えなくしていても、あなたは気が付いているはずです。そのヨゴレを取り去らないと、あなたの心のマイナスは取り除くことができません。

部屋のヨゴレを認めたら、さっそく実践に入っていきましょう。ここから、具体的なそうじ力の方法を解説していきます。

マイナスを取り除くそうじ力の流れは、以下の5つのステップになります。

① **換気**
② **捨てる**
③ **ヨゴレ取り**
④ **整理整頓**
⑤ **炒《い》り塩**

この流れでマイナスを取り去り、スッキリ、サッパリ、クッキリのキレイな空間をつくっていきます。

例えば、あとでくわしくお話ししますが、キッチンや玄関、またはリビングのテーブルの一箇所だけのそうじの際にも、この流れを基本としてやってみてください。

作業の効率の点からいってもそうなのですが、磁場を整えていくのにこの順番がいちばん適しているようです。

まず、換気によって、あなたの部屋の空間にただようマイナスのエネルギーを追い出します。不要なガラクタを処分し、ヨゴレを取ることでマイナスを生み出している要因を取り除きます。そして、整理整頓であるべきところに収納することにより、磁場を整えます。最後に、炒り塩をまいて掃除機で吸い取ることにより、清浄でフラット磁場が完成します。

次のページから、一つひとつを具体的にお話ししていきましょう。

ステップ1「換気」

換気をする2つの理由

そうじ力の第一歩は「換気」です。この換気は強力なパワーを秘めています。

換気には2つの目的があります。

ひとつは**ヨゴレた空気を追い出し、キレイな空気を入れる**ためです。

締め切った部屋の空気はヨゴレています。人から発せられる熱や二酸化炭素、そしてホコリが漂っています。

キレイな空気を室内に取り入れることによって、衛生面、健康面の配慮につながります。白衣の天使、ナイチンゲールは院内感染を防止するために自然換気の重要性を強くうったえました。これにより多くの人の命が救われたのです。

もうひとつの目的は、**マイナスエネルギーを追い出す**ということです。

あなたも、**汚い部屋をキレイにしようとしたとき、異常に疲れることはありませんか？**　ものを捨てる行為やヨゴレを取る作業は、じっさいの運動量以上にメンタルなパワーを使うのです。ヨゴレから発せられるマイナスエネルギーにやる気が絡め取られてしまうのです。

そうじ力のお話をさせていただいた方から、よくこんな質問をいただくことがあります。

「いまの自分を変えられるのはそうじ力しかないと思い、実行に移そうとするのですが、そのときになるとどうしてもやる気がなくなって、先延ばしにしてしまうんです」

この場合、「窓開けました？」と聞くと、ほとんどの人が「あ！　忘れてました」と気付いてくれます。

なぜかそうじを実行できないとき

私自身も人生どん底でゴミ溜め生活をしていました。このとき、心のどこかで

「これじゃダメだ、明日こそそうじをしよう」と思うのですが、次の日になったらまた「明日にしよう」と思ってしまうのです。

あるとき友人が来て「そうじするぞ！」と言われたときは、正直かなりの反発心がわきました。しかし、彼が強引に窓を開けた瞬間から状況が変わりました。

何年かぶりに部屋中にさわやかな風が入ってきたとき、「なにを勝手なことをするんだ！」という反発心は、いつしか「よろしくお願いします」に変わっていたのです。

容赦なくマイナスエネルギーを追い出しましょう

元はと言えば確かにあなたがまねいたマイナスエネルギーですが、いざ、決心して「取り除くぞ」と思うと抵抗してくるのです。

いくら「私、そうじ力で運命を逆転する！」と宣言しても、マイナスエネルギーは「何わけのわからないこと言ってんの。今まで仲良くやってきたじゃん。な、今日もいつもみたいにダラダラしようぜ」という感じでしょうか（笑）。

都会に住んでいる方は窓を開けて、外気を取り込むことをしないようです。その理由として、外の空気の方がヨゴレていると思い込んでいるようです。

しかし換気をしてみると、

「部屋のよどんだ感じがなくなった」

「体のだるさがなくなった」

「すがすがしさを取り戻した」

などの喜びの声が寄せられます。

換気には力があるのです。まずは、換気をして室内からマイナスエネルギーを追い出しましょう。

ステップ2「捨てる」

欲しい欲しい病

「あれも欲しい、これも欲しい」

私たちはいつから生きていくのに必要のないものまで、あたかも必要かのような錯覚をおこしてしまったのでしょう。

欲しいものを欲しいだけ買い込めば、どんどんあなたの部屋はものであふれかえっていきます。**欲しい欲しいと思って買い込んだものは、欲望のエネルギーをまとってあなたの部屋に居座ります。**

つまり、欲望の磁場をつくり上げるのです。その磁場は、同質のものをどんどんどんどん引き寄せます。欲望は欲望を呼ぶのです。「足りない、まだ足りない」

と、「もっと欲しいもっと欲しい」と、あなたの耳元でささやくのです。

じつを言うと、私も欲しい欲しい病の感染者でした。最初はコントロールして楽しんでいるつもりでした。しかし、気が付いたときには取り返しのつかないくらいの重症になっていました。

目から入る情報で、かっこいいとか、オシャレだと思ったものがあればどんどん欲しくなりました。私の場合は引越しが好きでよく引越ししたのですが、そのたびにその部屋にあう家具をそろえたくなりました。当時流行っていたトレンディドラマのような部屋に住みたくなっちゃうんですね。

もちろん、そんなことができる身分ではないので、カードでものを買い、払えなくなるまで買い続ける……そんな生活を続けていました。

こんな私だから言えることですが、欲しい欲しい病の根本にあるものは、**満たされない気持ち**です。愛されたい、認められたいという気持ちが、ものを買いあさることで満たそうとしたのです。自分の存在価値を外に求めたのです。

しかし、私は今の妻と結婚して、その病を強制的に治療されました。妻は、私とはまったく正反対の性格で、「欲しい欲しい」はすべて却下されました。

彼女の買いものの基準は「必要なもの」でしたから、欲しい欲しい人生の私は「必要なもの」を「必要な分だけ買うこと」を体得するまで、ずいぶんと苦しみました。

必要なものは与えられる

この病が治ったのは「テレビ事件」からです。我が家は今だにテレビを買ったことがありません。新婚のころは、小さい14インチのテレビを実家からもらってきて使っていました。

もちろん欲しい欲しい病の私は、かっこいい大きいテレビを購入しようと妻に提案しました。

「使えるのに何で、借金してまで買わなければいけないの？」

この言葉に、私もそのとおりだと思って、このときは断念しました。しかし、数ヵ月後、そのテレビが壊れてしまいました。それもそのはずです。私が中学時代から使っていたテレビですから、よくここまでもってくれました。

これでさすがの妻もテレビを買うと言うだろうと思いました。

「壊れちゃったね。テレビ買わなくちゃいけないね」

私は、ちょっと喜んで（もちろん顔には出さないように細心の注意をはらい）

言いました。

このとき、妻はなんと言ったと思いますか？

「必要なものは必ず与えられるんだから、買わないよ」

この言葉を聞いて、私はもうびっくりしました。

当然、その晩は朝まで生討論です。ついには、最後まで折れなかった私に、こう言い放ちました。

「テレビがなくたって死なないでしょ」

これで、私は泣く泣く断念しました。

しかし、次の日仕事で会ったお客さん（そのときはハウスクリーニングをしていました）に、「今度引っ越す新しい家はテレビが備え付けになるから、このテレビ使う？」と、まだ新品のテレビをもらったのです！

このとき私の人生観がガラッと変わりました。妻の言った言葉、「必要なものは与えられる」という言葉を心から確信することができたのです。その事件以降、私の欲しい欲しい病が治ってしまいました。

捨てられない症候群

「欲しい欲しい病」と「捨てられない症候群」はコインの表裏の関係のようです。

「わかっているのだけれど、ものが捨てられなくて困っているのです」

こういう声もよく聞きます。自分で集めたものを捨てるなんてとんでもないと思うのでしょうか。多くの人たちは必要なもの以外のものを溜め込んで、いくら片付けても片付かないと困っているのです。

あふれるものと一緒に過ごすのは大きな心の負担ですよね。それなのに、なぜ、捨てられないのでしょう?

ものがなくなると自分が無くなるように感じて不安なのかもしれません。ものがなくなると丸裸にされる感じがするのかも知れません。いずれにしても、心の中に「失う恐れ」があるのでしょう。

その失う恐れの正体は「自分自身の輝きを信じることができない」というあらわれです。自分自身を信じることができないから、他人も信じることができない。人を信じることができないから、頼りになるのは〝もの〟だけということです。

必要なものは自然と必ず与えられます。おもいきって捨て去りましょう。

買い続けるのが止まらない！

「ものを買い続けるのが止められない」という30歳の利恵さん（仮名）から相談を受けました。

話を聞くと、月給のほとんどを洋服代に使っているというのです。最近では消費者金融も利用してなんとかやりくりしていました。

借金が返せなくなるのも時間の問題だと心配になり、彼女にほんとうの気持ちを聞いてみました。

「買い物をしたときの気持ちはどういう感じですか？」

「ホッとします」

「それは心の底からホッとするのですか？」

「うーん……じつは、買った瞬間だけ満足するのですが、その後ものすごい自己嫌悪になります。でもまた買ってしまうんです。その繰り返しです」

部屋はクローゼットからあふれた服で占領されているそうです。

「服を買ったそのときはホッとするかもしれませんね。でもそれは、砂漠で塩水を飲むようなもので、すぐにまた、前よりももっともっとのどが乾いて、苦しくなるんですよ」と伝えました。

そして、

「まずはそのあふれかえっている服を捨てましょう。その欲望のマイナスエネルギーをまとった服がそこに磁場をつくり上げて同質のものを引き寄せてしまうのです。早急に処分してしまいましょう。このままだとあなたは、その服に占領されて、生きながらに死んでいる人生を歩むことになります。マイナスの磁場に振り回されるあなたから解放され、本来のあなたに戻れるように、とにかく捨てましょう。あなたは必ず生まれ変わります」と伝えました。

彼女はしばらく悩んだようですが、一気に服を捨てはじめました。

「何度も何度も悩んで迷ったけれども、生まれ変わるんだと決意して、一気に服を処分しました。45ℓゴミ袋22個分ですよ。自分でも驚きました。そうしたら、なんとも言えない爽快感を感じて、気分がスッキリしてきたんです。体中に巻きついていた鎖が解けたような解放感です。なんであんなに買ったんだろうと今では不思議でしょうがありません。私……生まれ変わったんですね。本当にありがとうございました」

このような、うれしいメールをいただきました。

脱皮できない蛇は死ぬと言います。彼女は巻きついていた鎖を捨て去りました。今までの彼女は脱皮できない蛇だったのです。

人間は死ぬことはありませんが、ものを溜め込んでいる生活は、**生きながらに死んでいるという状態**と言えます。あなたがあなたでなくなっている状態です。しかし、それはあなた自身がつくり上げた状態です。だからこそ、あなた自身の手で復活することができます。それが「捨てる」のそうじ力なのです。**必ずあなたは生まれ変わります。**新生します。

「捨てる」基準

捨てるといっても、何を捨てたらいいかの基準がわからないという方も多いようです。そこで「捨てる基準」をあげてみました。次の4つの基準で捨てていきましょう。

①「もったいない」を捨てる

ものを取っておく理由として、第1位に輝くのがこの「もったいない」ではないでしょうか。私はこの「もったいない」という精神を全否定するつもりはありません。ものを大切にする心はとてもいいことですよね。

しかし、「もったいない」という言葉に甘んじて、ほとんど使わないものや、まったく必要ではないものを捨てられない人が多いと思うのです。

「これまだ使えるよね。捨てるのはもったいない」

「これ高かった服なんだよな、捨てるのもったいないね」

「まだこれ残ってるわよ、捨てるのもったいないでしょ」

捨てない理由としてあちこちで「もったいない」が飛びかいます。

何でも買い込むのではなく「ひとつのものを大切に使う」という精神として、「もったいない」ということはいいことです。しかし、**「もったいない」という言葉を使ってものを溜め込むという行為は論外**です。

捨てるか捨てないかで迷ったとき「もったいない」という単語が出たら要注意です。これを打ち消してくれる言葉が**「必要なものなのか？　必要ではないものか？」**なのです。「必要でない」と思うものは「さよなら」です。

②過去の「栄光や思い出」を捨てる

「もったいない」を「必要か、必要でないか」で粉砕したわけですが、次に過去の栄光を「捨てる」についてお話しします。

これは、過去の輝かしい思い出にすがりつく自分を捨てるのです。意外と人は過去に成功したことを捨てることができないのですね。

押入れの中を整理していくと、あるわあるわ、過去の栄光がべっとりついている品物の数々。「これは元彼の思い出の品」、「これは私が輝いていた時代の服、バック」などいろいろ仕舞い込んでいるものです。

過去の栄光や思い出は「これは必要でしょ」と迫ってきます。ほんとうに**現在のあなたに必要なものかどうか**で判断してください。

③未来の「いつか必要」を捨てる

次の言葉も、よく捨てるさいに出てくる言葉です。それは「いつか」です。「いつか使うかもしれない」です。

これらも、必要か必要でないかの基準をうまく潜り抜けてきます。「これはいつか必ず必要だよ」。非常に説得力がありますね。

わたしもこの戦法をよく妻に使いました。

「このズボンいつか痩せたときに必ず履くから必要だよ」

「で、いつ？」

「いつかわからないけど、近いうちかな」

「いつかは来ないから」

「……（涙）」

そうです。どんなに理由があってもいつかは来ないのです。いつ使うかわからないものもどんどん捨てていきましょう。

④現在の「あなたのレベルを下げるもの」を捨てる

古い殻を捨て、新しいあなたとなるために必要でないものを捨てていきましょう。買い込みすぎているもの、溜め込みすぎているものを、見直してみてください。

冷蔵庫の中は大丈夫ですか？

ゴシップ満載の低俗な雑誌を溜め込んでいませんか？

いつしか増えていくお化粧品などどうですか？

衣類の見直しも必要ですね。

溜め込まなければ、自然と買い込まなくなっていきます。ここまでくれば「スッキリ」ですね。

いったんゼロに戻しましょう

人は生まれてくるときには何の「もの」も持たずに生まれてきました。そして、死ぬときも何の「もの」も持ってはいけません。今一度あなたにとって「今必要なものは何か」を見極めましょう。

そして、覚えておいていただきたいのは、**必要なものは必ず与えられる**ということです。

まずは、今まで積み重ねてきた過去のしがらみ、未来への不安、現在のどうしようもない状態を生み出すマイナスの磁場を捨て去りましょう。あなたが新しいあなたに生まれ変わるために……。

ステップ３「ヨゴレ取り」

そうじ力における「ヨゴレ取り」は、２つの効果があります。

ひとつは、問題から生じる**ストレスがなくなる**効果です。

もうひとつは、**問題の原因が見え、解決される**という効果があります。それでは、順番にご説明しましょう。

ヨゴレ取りの効果① ストレス、カンタンリセット！

ストレスは、知らず知らずに溜まっていってしまうものですね。そこで、一日の最後に、その日のストレスや疲れをリセットするつもりで、一箇所ぞうきんで拭いてみてください。テーブルの上でもいいですし、床でもいいです。スポンジで洗面所のシンクを磨くというのでもいいです。

このときのポイントは**「何も考えない」**です。考えないように努力してしまうとかえって意識してしまうので、身も心もヨゴレ取りに徹するのです。**「無心」**ということですね。

知り合いのＯＬ、主婦の方数人に実践してもらいましたが、全員**疲れが取れてサッパリする**と報告をしてくれました。

その中のひとりは、この実験期間中に会社で上司と対立したそうです。あまりにひどいことを言われて、怒りが収まらなかったそうです。よくありますよね。相手のことが許せず、頭の中でバトルを繰り広げて堂々巡りしている状態です。「こんなときこそヨゴレ取りだ」と帰宅するなりフライパンを磨いたそうです。黙々とコゲを取ることだけを考えていると、気が付いたら心の中がスッキリしていたそうです。上司に対する怒りがコゲと一緒に落ちたようだと言っておりました。

よく昔から、「イヤなことがあったときは鍋磨きをするといい」と言われていますが、これは乱れていた心や雑念を取るのに役立つのですね。

人の心は同時に２つのことを考えることができません。仕事で頭がいっぱいで身動きが取れないときや、ケンカしてイライラしたときに使うと、とても効果的です。

ヨゴレ取りの効果②　問題の原因がわかり解決できる

無心にヨゴレ取りに取り組むことによって、ストレスをリセットする効果がある……その延長戦にあらわれてくる効果が、「悩みや問題の原因が見えてくる」です。とても不思議なのですが、**人生で起こる悩みや問題が解決する**のです。汚さの原因であるヨゴレを取り除く行為を繰り返ししているうちに、心にも作用し、あなたの悩みや問題の原因をあぶりだしてくれるのです。

例えば、業績が落ちている会社の社長さんが、社内のトイレ磨きをしたそうです。そうじをしているうちに、売り上げ悪化の原因が社員や環境にあると思っていたのが自分自身にあることに気が付きました。

それからは、社員に感謝をあらわすために毎朝、誰よりも早く出社してトイレそうじを続け、社員との信頼関係を深め、短期間で経営危機から脱出。以前より売り上げを伸ばして会社を発展させたそうです。

優先順位と細分化

どこから手をつけていいか、わからない人へのアドバイスをしておきましょう。それは、**優先順位と細分化**です。

そうじのプロがどのようにしてそうじをしているのかというと、一般家庭で例にとってみると、まずどの順番でこなしていくかを決めます。例えば、①玄関、②リビング、③寝室、④ベランダ……などという**優先順位を決めます。**

そして、いちばんはじめに取り掛かるのを玄関と決めた場合、玄関の中でも、靴箱、たたき、照明、ドア……と**細分化をして、せまい範囲でキレイ**にしていきます。

はじめるときは、「今日は玄関の扉の外側だけやろう」とか、「まずは表札だけ徹底的にキレイにしよう」とかでもいいと思います。細分化すると成果をあげやすくなります。この成果による自信で次に取り掛かり、そして徐々に範囲を広げていくことができます。

また場所に限らず、ひとつのものに集中してもいいでしょう。たとえばヤカンひとつをピカピカにするとか、炊飯器、電話機だけ……などひとつのものを徹底的にキレイにして、2つ、3つと増やしていくとよいでしょう。

少なくとも、やった分だけは確実にヨゴレが取れていきますから、これを続ければ、必ず部屋のヨゴレは取れていくことでしょう。

蛇口、食器棚のガラス、窓ガラスなど、**磨けば光るものは、ぜひ意識的に顔が映るくらいピカピカに磨いてください。**仕上がりがまったく違ってきます。

ヨゴレ取りを通して、優先順位と細分化をマスターすることで、仕事や家事で成果をあげられるようになるかもしれませんね。

ステップ4「整理整頓」

あなた自身の価値がハッキリ

すべてのものの置き場所がきちっと決まっていると、**部屋の磁場を整える効果**があります。この、「あるべきところにあらしめる」状態は、あなたをもっともベストな状態に導いてくれます。

つまりあなた自身のその輝きとは何か、その輝きを元手として、**どのような理想の自分となっていきたいのかが「ハッキリ」していきます。**

「捨てる」の章でお話ししましたが、私は、「欲しい欲しい病」にかかっていたとき、トレンディドラマに出てくるような部屋に住みたくて、家具を借金してまでも買っていました。形から成功者になりたかったんだと思います。

しかし、いくらオシャレな家具で固めても、部屋は汚く、整理整頓がまったくできていませんでした。立派な机の中がぐちゃぐちゃ、食器棚も本棚も押し入れもぐちゃぐちゃでした。外部に価値を求めていたのでしょう。迷っていたんですね。

ようやく、整理整頓が身に付いてきたときに、そうじ力研究家として世界中をそうじ力で美しくしたいという自分の使命が見つかったのでした。

整理整頓のコツは「ものに対してコーチングする」

それでは実践のコツを紹介します。整理整頓はそもそも何のためにしなければならないのかというと、**早く的確に目的を達成する**ためです。

例えば帰宅するとポストに郵便物が届いています。中身をすぐ見たいので封を切るのにハサミが必要です。手でもちぎれますが、キレイに的確に切るのにハサミを使います。

そしてこれがどこに置いてあるのかわからなければ「ハサミ、ハサミ、ハサミ」と探し回らなければなりません。封を切る目的を達成できません。

また、置き場所が明確でも、「押入れのダンボールの中にいつも置いてある」

では取り出すのに時間がかかってしまいます。

そのため、整理整頓は目的達成のために使うものが、あるべき場所に置かれている必要があるのです。そこでポイントとして、ものに対して、**「なぜそこに置かれているか」と問いかけをする**といいでしょう。

例えば洗面所のキャビネットにお皿が入っていたときに問いかけます。

「なぜ君はここにいるの？」

「さあ、なんとなく」

これではいけません。正しい場所は食器棚ですね。

「私はキッチンで料理がつくられたとき盛られるために必要とされます。いつもキッチンから近い食器棚で待機しています」

このように、そこのあるものに問いかけながら整理整頓をしていくだけで、場所が明確になっていくでしょう。**ものに対してのコーチングをする感じ**ですね。

整理整頓は、あなたのそうじ力レベルが上がるごとに、少しずつうまくなっていくことと思います。まずは引き出しひとつからはじめるとよいでしょう。

部屋の中で整理整頓がされている場所が一箇所でもあるだけで、あなたに与える影響が変わっていくことでしょう。

強運なお金持ちは整理整頓上手

最近では、いわゆる成功者と呼ばれている方ともお会いする機会が増えました。こういう方たちは、**必ず整理整頓されたオフィスで仕事をしています。**

その道で成功するためには、自分の強みがもっとも生かされる職業に、使命感と情熱を持って取り組んでいるからと言えるでしょう。

ハイ・スタイルブランド「フォクシー」のオーナーデザイナー前田義子さんは著書『前田義子の強運に生きるワザ』（小学館）の中で、強運体質になるためには、**「整理整頓、清潔、身ぎれいにする」**の三拍子だと言い切っています。

前田さんは日本とNYを行ったり来たりの生活を続けているそうですが、日本にいる娘から電話で「ママ、何々を探しているのだけど」と言われても、「どこどこの部屋の何番目の引き出しの前から何番目くらいにある」とわかっているからすぐ答えられるそうです。

チャンスをきちんとつかむには、即決できるように頭の中も、部屋の中も整理整頓が大事なことだとおっしゃっています。

整理整頓であなた自身の強みを見つけましょう。そして、その強みを使ってあなたにあった夢をかなえていきましょう。

夢をかなえるには、ハッキリとしたビジョンを持ち、それを実現するためには何をするべきかハッキリさせます。

すると行動もハッキリしますね。ぜひ、整理整頓を極めてあなたにとっての成功の道に入ってください。

ステップ5「炒《い》り塩」

不浄を清める自然塩のパワー

塩は私達が生きていくために、なくてはならない物質です。それだけではなく、食物の腐敗を防ぐ力も持っています。そのため人類は古来より塩を清浄のシンボルと考え神聖視してきました。

日本でも塩は災《わざわ》いを祓《はら》い、不浄を清めるものとされてきました。お葬式から帰ったとき、家に入る前に塩で清める習慣や、大相撲の力士が土俵に塩をまくことを思い浮かべる方も多いことでしょう。

風水でも家相が悪い場合は、塩をまいたり、盛り塩をしたりして邪気をはらいパワーを上げるそうですが、これにはとても共感します。また、スピリチュアル

な活動をされている方は、ヒーリング効果として塩を使っているようです。

仕上がりのスッキリ感が段違い

捨てて、ヨゴレをとって、整理整頓をした最後に、フライパンで5分ほど炒った塩をまいて掃除機で吸い取ります。これで、マイナスを取り除くそうじ力によるスッキリ、サッパリ、クッキリな空間が完成します。

実践した人の反響は**「やる前と後ではスッキリ、サッパリ感がぜんぜん違う」**と言います。

確かに、炒り塩なしのそうじ力でも十分スッキリしますが、ぜひ、これはやっていただきたいと思います。全然違う空間に驚くはずです。

まだまだ未知数のパワーを秘めた塩ですが、そうじ力で使う場合は必ず自然塩を「炒り塩」にしてください。フライパンで炒るのです。これは、塩に含まれる水分を飛ばすためです。

塩には「吸い取る」パワーがあります。カラカラに炒った塩は、部屋の湿り気を吸い取ってくれます。そして、水分だけでなく残留した**マイナスエネルギーも**

吸い取ります。この吸い取る能力を最大限に引きだしてあげるために炒るのです。

炒ってサラサラになったら、少し冷まして、部屋の隅々にまきます。しばらく放置した後、掃除機で吸い取ります。あまりスッキリ感がでないときは、2〜3回繰りかえしてください。

水周りに使用するときは、同じようにまいて水で排水溝に流します。

これでマイナスエネルギーがなくなりフラットな磁場づくりの完成です。

Chapter2
汚れている場所によってあなたの問題点が見えてきます

そうじ力と風水のちがい

部屋によって問題点がわかる

あなたの部屋はあなた自身です。

もう、これは理解していただけましたよね？　これから、もう少し、細かく解説していきたいと思います。

じつは、**どの部屋がヨゴレているかによって、今のあなたの問題点がハッキリわかる**のです。ハウスクリーニングに訪れた際も、企業コンサルの際にも、見事にその家庭の問題点や企業の業績悪化点があらわれていました。

各部屋別の解説をこれからしていきたいと思いますが、その前に、風水と勘違いされるそうじ力の基本的な考えをお話させていただきますね。

方向よりも人の想いが重要

Chapter 1でもお話ししましたが、人の想いがその場所の磁場をつくります。そのためそうじ力では、「まず人がいて場所がある」と考えます。**人が場所をつくる**ということです。

おなかがすいたら、料理をします。料理をする場所がキッチンになるのです。そしてでき上がった料理を食べる場所がダイニングです。家族とともにリラックスする場所がリビング、眠くなって眠りにつくところが寝室です。用を足すところがトイレになり、体を洗うところがバスルームになります。

つまり、**はじめに人の想いがあり、その行為によって場所があらわれる**ということです。ここが環境から人の運命を考える風水とは少し違うかもしれませんね。

ここで重要な点は、**場所自体を変えることなく、あなたの人生を変えていくことは可能**ということです。どのような場所でも、そうじ力によって磁場を上げれば、幸運を招き寄せることは可能なのです。それでは、各部屋の場所の理念とヨゴレの影響、その解決法を見ていきましょう。

あなたの全体運に影響……玄関

マイナス磁場の玄関はマイナスをどんどん呼び込む

玄関は私たち人が出入りするだけでなく、**すべてのエネルギーの出入り口**です。

プラス・マイナス両方のエネルギーの出入り口です。

人の体で考えれば、口に当たるのでしょうか。ここで大切なことは「良きものを入れ、悪しきものを入れない」ということです。節分には「鬼は外、福は内」と豆をまきますがその考え方ですね。

私たちも生きていくうえで、体にとって栄養になるもの、健康を維持できるものを選んで食べますよね。何も好んで毒は取らないでしょう。それと同じです。

玄関がヨゴレたり、乱雑になっていたりすると、そこにマイナスの磁場をつく

ります。「類は友を呼ぶ」の法則どおり、マイナスは、マイナスのものをどんどん引き寄せますから、**玄関のマイナス磁場に引き寄せられて悪いものが玄関から入り込んできます。**

体で言えば毒素の強いもの、例えば腐ったものを食べるということと同じです。腐ったものを食べればおなかを壊しますよね？　そして病気になったりします。これと同じことがあなたの部屋の中でも起こるということなのです。

仕事から帰るころには、疲れ果てて、ストレスも背負っていることでしょう。そのため、マイナスエネルギーをまとった状態で玄関の扉を開けることも多いと思います。そのときに、ものでごちゃごちゃしてマイナスエネルギーの溜まった玄関であれば、その疲れや、ストレスを増幅してしまいます。その結果、部屋に入ると、「疲れたー疲れたー」と言ってダラダラしたまま時間を浪費させてしまうのです。

それにとどまらず、次の朝も疲れを引きずったまま、ヨゴレた玄関のマイナスエネルギーを浴びて出かけることになります。

ストレスを発散させようと、女性の場合とくに多く見られるのが、**物質欲が増えて衝動買いをしてしまう**ということが起こります。

そのため、必要のないものが家の中を占領し、これにより乱雑さを呼び、汚さを呼びます。散財は加速し、いつまでたってもお金は溜まらず、ストレスは慢性疲労となり健康を害して病気という悪影響もでてきます。つまり人生そのものの体調が崩れるようになります。

ガラクタ置き場になっていませんか？

まずは**不要物を捨ててください。**

不必要なものを置かないようにしましょう。例えばめったに使わないスキーセットが置いてあったり、ゴルフバックが置いてあったりという方も多いのではないでしょうか？

あるいは使わないビニール傘を山ほど所有していたり、いつか捨てようと思っている古新聞や雑誌を置いてあったりする玄関もよく見かけます。

靴箱はどうでしょうか？　履かない靴がたくさん眠っているのではありませんか？　オシャレは足元からと言われますが、靴箱が靴であふれ返っているのであれば、見直さなければなりません。あふれ返るほど何十足と持てばいいというものではありません。

靴であふれ返っているのであれば、**あなたは足元を見失っている**と言えます。単純につまずいたり、ケガをしたりすることにあらわれる場合もありますし、また足元を見失うということは自分自身を見失い、仕事などでのミスにつながる場合もあります。１年間履いていない靴は捨てましょう。

日常履く靴、ドレスアップのときに履く靴、目的別の靴（雨用、運動用など）、季節に応じた靴をスペースに応じて何足所有するかを決めるといいでしょう。

幸運の入り口にしましょう

次に**ヨゴレを取り除いていきます。**

特に玄関の外側はホコリや泥がつきやすくヨゴレている割には、見落としがちな部分です。ここのマイナスエネルギーを取り除くことはとても大切です。

それは、外から帰ってきてはじめに目で見る場所だからです。潜在的にも、「私の家の玄関はやっぱり、キレイね」と思えて、プラスのエネルギーを浴びたいものですね。

玄関の外側ですが、デコボコ面がありホコリが溜まりやすいので、まずは**ペンキを塗るハケ**などを使ってホコリを取り除くと便利です。水拭きができない素材もありますので注意してください。表札は家の顔なので、特に念入りにキレイにしてください。マンションにお住まいの方は、できる範囲で共用部のヨゴレも取り除くといいでしょう。

ちなみに私に運が向いてきたのも玄関をキレイにしてからでした。徹底的にキレイにして、**玄関の電球も40Wから80Wに替えました。**

これにより、仕事から帰ってきたときに疲れがパッと取れることが多くなりました。そして、他の場所も連動するようにキレイになっていきました。

家族関係をもっといい関係に……リビング

家庭崩壊はリビングから

玄関から部屋に入るとまずリビングがあります。部屋の中心であるリビングはいわば「ポンプ」の役割をしています。人で言えば心臓です。

リビングを中心にしてキッチンに行ったり、トイレに行ったり、浴室に行ったり、寝室に行ったりと各部屋に移動しますね。家族がいる場合は全員の集まる場所です。エネルギーが集まる中心基地になります。

このリビングが汚くなってくると**調和が壊れます。**つまり不調和です。不調和の磁場は不平不満を増幅します。

ここは玄関とも連動しておりますが、リビングのエネルギーがマイナスになり

ますと不平不満が増幅され、家族間にトラブルが出てきます。夫婦仲や家族間がうまくいっていない場合、家庭の中に恐怖や、不安要素がある場合もリビングが汚いことが多いです。磁場もどんよりしています。マイナスエネルギーが渦巻いているようですね。

もちろん、1Kのひとり暮らしの方の場合も、家の中心のリビングにあたるような場所はありますよね。例えば友人が来たときに一緒に過ごすようなところはエネルギーの中心地です。汚くしていると、親しい友人同士の関係が悪くなるので気を付けましょう。

風の通りをよくしてエネルギーを流す

リビングは**風通しをよくして、ホコリが溜まらないように**してください。

テーブルを真っ先にキレイにすると達成感があります。テーブルの上は何も置かないことをこころがけましょう。よく、調味料をテーブルに載せているご家庭があります。不要なものをおくと結局はどんどんものがテーブルの上を占領することになります。塩と醤油だけ置いていても、結局は、唐辛子やコショウ、お酢まで置きっぱなしになる場合がありませんか？　キッチンで調理するときに味を調節すれば必要ではないはずですよね。どうしても必要なときはその都度持ってきて、決まった場所に戻すようにしましょう。

棚の上や、家具の隙間、目に付かないところも一度徹底的に取り除いてください。棚の上の気に入っていない飾り人形（お土産などでもらってそのままおいてあるもの）などもあなたの運を悪くするだけです。遠慮なく捨て去りましょう。

床がカーペットの場合はよく掃除機をかけます。このあとに、固く絞ったぞうきんで水拭きするとスッキリします。

フローリングの場合は床を拭いたあと、定期的にワックスをかけてツヤを保ちましょう。

子どもは登校拒否、夫への不満が爆発！

34歳の主婦、亜由美さん（仮名）から相談を受けました。内容は、お子さんの登校拒否についてでした。部屋にお邪魔させていただきましたが、やはり、リビングがどんよりして片付けたつもりでしょうが乱雑な印象を受けました。

お子さんの問題を抱えている家庭は、たいていの場合親に問題があります。特に夫婦不和が原因であることが多いようです。亜由美さんもお子さんの問題で悩んでいたのですが、ご主人のことを聞いていくと心の中に溜まっていた不満が爆発して泣きだしてしまいました。

「主人は帰りが遅く、子どものことで相談したくてもまったく聞いてくれないんです。帰りが遅いって言ったって、どこで何をしているのやら！」

彼女には玄関とリビングとキッチンのマイナスを取り除く「家庭不和撃退強力セット」をお勧めしました。

玄関には何年もやっていないスキー板や家族の人数の3倍以上ある傘が玄関のドアを開けにくくしている状態でした。スキー板は捨て、傘は3本残して全部処分したそうです。

リビングとキッチンが合わさっている部屋の状態でしたが、ものがとにかく多かったそうです。不要なものが入れてある棚は中のものも外の棚も捨て去りました。リビングのテーブルの上のダイレクトメールや広告の切り抜きも捨てて、ぞうきんで拭きあげました。

キッチンは、流しのゴミがつまった状態をすべて取り除き、流しのヌメリをたわしで磨きました。

取り組んで数日、何を言っても聞かなかったご主人なのに、帰りがはやくなったそうです。

そして、家族がここちよく暮らせる部屋づくりを心がけたところ、再びリビングに家族が戻り会話が弾むようになり、子どもの登校拒否も自然と治ったそうです。

愛の生産工場……キッチン

愛をつくる人こそ愛される

キッチンは、食材を組み合わせ加工して「料理」として送り出す場所です。人はなぜわざわざ食材を加工して、料理をつくるのでしょうか？　それは、おいしいものを食べたいからですよね。

おいしいとうれしいです。おいしい料理を提供するのは、自分にとっても相手にとっても「サービス」を与えることになります。**サービスとはずばり「愛」**です。ですから**キッチンは愛の生産工場**なのです。

愛する気持ちを込めて料理をすると、必ず相手に気持ちは伝わります。パートナー、ご両親、お子さん……喜ぶ顔を思い浮かべながらつくりましょう。ひとり

暮らしの方は自分のために愛を込めて料理をしましょう。自分を愛することができない人は他人を愛せるわけはありません。**愛をつくる人は必ず人から愛されます。**

気を付けていただきたいのは、「一方的に愛を得よう」「認められよう」という気持ちはただの押し付けで、決して相手を思いやるほんとうの「愛」ではありません。

まずは、キッチン周辺のシンク、排水溝、ガスレンジ、換気扇、レンジ、炊飯ジャー、ポット、調理器具……のヨゴレを取り除き、せっかくのあなたのやさしい愛情を奪われないようにしましょう。

あなたの愛をうばうマイナスエネルギーを取り除く

キッチンは洗い場、ガスレンジ、換気扇、収納などの機能が組み合わさっています。その分ヨゴレもさまざまです。なかでもガスレンジを使った料理の際、油の飛びはねがとても厄介ですね。

この場所を清潔に保つ方法はただひとつしかありません。それは**余計なものを**

置かないことです。

ものをごちゃごちゃ置くとそれに油ヨゴレやホコリがつきます。油が飛び散る周辺に置かなければいいことですね。

調理器具や調味料は、整理整頓がポイントになってきます。よく使う調味料や器具など**動線に合わせて収納すると「使う、しまう」がスムーズにいく**でしょう。

ヨゴレ取りをしながら、あなた自身が「何を与えられているか」を思い出してみてください。これはあなた自身を満たすことにつながります。あなた自身が満たされていなければ人に愛や幸せを与えることはできません。

例えば、「どんなに落ち込んでいても、どんなに不満があっても、それでも酸素を与えられている。吸う息があり、吐く息がある」などと、どんな小さなことにも感謝してみましょう。最初は、もちろん無理やり見つけるくらいの気持ちでかまいません。

愛されたい人にターゲットをしぼって、与えられたことを発見してみるとより効果的です。くれぐれも「与えたこと」を思い出さないでください。

彼の愛が感じられない「このまま結婚していいの?」

結婚を前提に同棲をしている、24歳の葵さん（仮名）の彼は、外食が多く一緒に家でご飯を食べてくれないことに葵さんは不満を持っていました。最近ではケンカが絶えず、このまま結婚するのが不安だということでした。

そこで、「キッチンはキレイですか?」と質問したところ、「彼は仕事ばかりで家のことは何もしてくれないし、私だって仕事をしてるんです。やっている暇なんてないんです」ということでした。

そこで私はキッチンは愛の生産工場だというお話をしました。

「キッチンをキレイにすれば、あなたの忙しさから来るイライラや問題も解決して、なおかつ彼も自宅でご飯を食べる回数が増えてくるでしょう」

とアドバイスしました。

彼女はキッチンのマイナスエネルギー取りを開始しました。ガスレンジのコゲコゲの五徳を磨いていると、イライラとした気持ちがスッと取り払われるような感覚を感じたと言います。

それと同時に、「あの人も私のために一生懸命がんばってくれているんだ。遅く帰ってきたときに、一品でも彼が喜ぶようなおいしくて温かいものを出してあげたいな」という気持ちがわいてきたそうです。

キッチンがピカピカになっていくのと比例して、彼女の心もハッピーになってきたそうです。それ以来、彼は仕事が遅いときでも、家で夕食をとるようになり、家事にたいしても気遣ってくれるようになったと言います。二人は結婚にむけて着々と準備をすすめているようです。

彼女からの、最もうれしい報告は「私、とても優しくなったんです」という彼女自身の輝きでした。

愛をたくさん与えた人が愛される。まさに実証例だと思います。

シンプルで上質な空間で心と体の充電……寝室

あなたのエネルギー充電場所

寝室はそのものずばり、眠るところです。つまり体を休めて充電する場所です。

私は夜寝る前、携帯電話を充電するのですが、翌朝充電したはずの電池が朝の時点でないことがありました。

調べてみると、充電ホルダーの金具と携帯電話の金具の間にゴミが挟まっていました。これじゃあ、充電されないわけです。

寝室が乱雑であるということは、私の携帯電話のように充電がうまくいかない状態です。充電がうまくいかないと、エネルギーが切れてしまいます。

携帯電話のように使えなくなることはありませんが、**気が散漫して集中して物**

事に取り組めなくなります。常に体が重く疲労感が取れなくなります。

なぜなら、睡眠は体の疲れを癒してエネルギーを充電するだけではなく、**心のエネルギーも充電することになる**からです。清潔にして快適な磁場空間を維持したいものです。

寝る直前と目覚めた瞬間、目に入るもの

気をつけておきたいのはホコリが充満していると、安眠のさまたげになりますので、よく換気することです。タンスやクローゼットなど家具の上などもほうっておくとすぐ、どっさりホコリが溜まってしまいます。こまめにぞうきんで取り除きましょう。また、寝室のベッドや布団周辺には、基本的にものを置かないように心がけましょう。

寝る直前と目覚めの瞬間は潜在意識にもっとも暗示がかかりやすい時間です。寝室がものでごちゃごちゃであれば、一日の終わりに映像として見たのが乱雑な寝室になります。また、朝、目覚めてはじめに目に映るのも乱雑な寝室です。目に入ったヨゴレにより、いっそう心にマイナスエネルギーが蓄積されてしまいます。

これでは、ちゃんと充電ができません。やはり、しっかりマイナスエネルギーを取り去っておきたい場所ですね。

シンプルで上質な空間が幸せを呼ぶ

私が見てきた限りにおいて、幸せなお金持ちの部屋に共通することがいくつかあります。例えばトイレがキレイ、ものが少ない、整理整頓されている収納などといろいろありますが、この寝室においても共通点がありました。

それは、余計なものが置いてないということです。ほんとにシンプルです。あと、**ベッドや寝具がとても上質**なものでした。これは、ただ高いものを使っているというよりも「睡眠」をとても重要視していることのあらわれです。

1DKやワンルームで、寝室と他の空間が共同な部屋にお住まいの方は、ベッドや敷き布団を清潔に保ってください。

シーツや枕カバーをこまめに変えたりするだけでも、気持ちよく眠ることができます。また、寝たときに目に付く範囲は、特に念入りにそうじ力でキレイに保ちましょう。

対人関係をよくする、魅力を発揮し美人になれる……洗面所、鏡台

ステキなあなたをつくる場所

洗面所は、手を洗う、顔を洗う、髪の毛をとかす、歯を磨く……というあなたの美しさの基礎をつくる場所です。そのとき洗面所の鏡に映しだされる姿は、もっとも「素のあなた」であるはずです。鏡台やお化粧をするところ、全身鏡なども同様です。

この場所がヨゴレてくると、ありのままの自分に自信が持てなくなります。そして、偽りの自分ができあがってくるのです。偽りの自分は心が満たされず、**他人に依存する気持ちが大きくなるのです。**

あなたの周りにもいませんか？　どうでもいいことで文句を言ってくる困った

人たちが。何でも人に頼ろうとする人、異様に寂しがり屋の「かまってちゃん」な人たち……。このタイプの人は必ず洗面所がヨゴレています。

また美人は美人でも、右記のような他人に依存する困った人たちに翻弄されがちな八方美人タイプも、洗面の磁場が悪くなっています。ほんとうの自分を見失っているために、自分に自信がなく、周りからの評価をとても気にしてしまうのです。人間関係も「類は友を呼ぶ」ですね。

もし、あなたが、周りの人たちから翻弄されたり、気を使ってつらい思いをしたりしているのだとしたら、ここのマイナスエネルギーを取り除くと、ありのままの自分自身を取り戻せて人間関係の問題が解消します。

同時に、自然に**あなた自身の魅力が最大限発揮され、美人になります。**

毅然としたあなたのオーラに、他人に依存する迷惑な人たちも寄り付かなくなります。また、他人の目を気にしてビクビクすることもなくなります。

キレイな空間でキレイになる

では、ここのマイナスエネルギーを取り除いて、無理のないホッとする人間関係と、あなた自身の魅力を100％引き出し美しいあなたを取り戻しましょう。

洗面所には多くのものは不要なはずです。洗面台の上には極力ものを乗せないようにしましょう。洗面所の水はねは洗面所を使うときにも気をつけましょう。水はねしたらすぐに乾いたタオルで拭き取ります。

特にこの場所のポイントになるのは**鏡と排水溝**です。この二点を抑えればほかの箇所の乱雑さも収まってくるでしょう。

排水溝は、髪の毛のつまりなど取り除きます。使い古しの歯ブラシなどで配水管の中まで洗います。ちなみにシンクは、アクリルスポンジかウエスで磨きます。鏡ですが、一度、洗剤をつけて水拭きした後、から拭きをしてスッキリさせましょう。洗面所に、鏡拭き専用のウエスを用意して、朝、顔や歯を磨いた際に拭くようにするとよいでしょう。

鏡台は、日々使っている化粧品以外はすべて捨て去りましょう。よく聞くのは、もらった試供品や、もらいもののブランドコスメなどでごった返している女性が多いようです。大事にしまっていると古くなって肌につけるものとしては適切でない状態になる場合も多いので、使っていないものは処分するのが賢明です。

美人になるそうじ力

メイクするよりも、ずっとあなたを美人にする方法があります。それは、すっかりキレイにした鏡をウエスで拭きながら、

「私はキレイ」

「私はかわいい」

と、あなたが映っている鏡を拭きあげることです。呼吸は腹式呼吸をしてください。

例えば、シミやくすみが気になるようでしたら（個人的にはその人の個性や年輪だと思うので私は気にならないのですが……）、拭くたびに、みるみる薄くなっていくイメージをするのがポイントです。

アドバイスさせていただいた方は、たいてい周りから「表情が一段明るくなった」「キレイになった」と言われるようです。

私はキレイ

体と心を癒し健康に……バスルーム

体と心のマイナスエネルギーが増殖

たっぷりお湯のはったバスタブにつかると、一日のしがらみから解き放たれるのが感じられます。その日のいちばんリラックスできる一時ではないでしょうか?

入浴すると、体が温まり血液の循環もよくなるので、毛穴が開き、汗が出ます。体に溜まった毒素と、体にまとわりつくマイナスのエネルギーも汗とともに排出されます。体が重いときでも無理をして入るとスッキリするときがあります。

こんな癒しの場所に、黒カビ、湯垢、蛇口がくもり、排水溝のヌメリ……というヨゴレがあったとしたらどうでしょう?

せっかく、リラックスして、一日のあなたの体と心のヨゴレを落としても、バ

スルームのヨゴレから出るマイナスエネルギーを新たに受けてしまいます。
入浴しても疲れが取れず、慢性疲労の場合は、バスルームのヨゴレを徹底的に落としましょう。

お湯のヒーリング効果を高める

バスルームは、カビがいちばん発生しやすい場所です。換気は常にしっかりおこなうようにして、カビの発生を防ぎましょう。お風呂上りにカビ対策として、**シャワーで冷水をかけてから換気をしてください。**

換気はマイナスエネルギーを追い出すのにとても効果的です。バスルームは癒しの場所ですので、しっかりマイナスエネルギーは追い出しましょう。

ここでは、ぜひ「プラスを引き寄せるそうじ力」を試してほしいと思います（くわしくは前作『夢をかなえる「そうじ力」』をご覧ください）。

すっかりキレイに磨いたバスタブにありがとう空間をつくります。腹式呼吸で**呼吸を整えて、「ありがとう」と言いながらバスタブをさらに磨いていきます。**

ここにプラスを引き寄せる磁場をつくると、お湯をはったときに水に伝わります。水は言葉や波動を記憶する性質があります。モーツアルトを水に聞かせると、結晶は美しい形を取ります。歌詞が過激なハードロックを聞かせると結晶は壊れます。「ありがとうございます」の感謝の言葉は大変美しい水の結晶があらわれます（くわしくは、『水は答えを知っている』江本勝著・サンマーク出版をご覧ください）。このように**お湯自体にヒーリング効果を持たせることができます。**

さらに、お湯をはったあと、エッセンシャルオイルやお気に入りの入浴剤を用意して、キレイになって磁場が整った一番風呂に、あなた自身が入ってください。そして、全身に癒しの波動を受けてください。

自然と感謝の気持ちがわいてくるはずです。これがお湯に伝わり、あなたとバスルームのよい循環が生まれてきます。

慢性疲労からの脱却

営業職で一日中歩き回っている25歳の美奈子さん（仮名）から、相談を受けました。

「大学時代までは体力はあるほうだったのですが、最近、駅の階段がしんどくなってきました。電車に乗ってもひと駅でも座らないときついんです。もう、私も歳でしょうか？　仕事もなんだかつらくなってきて……」

彼女から、バスルームの写真をメールで送ってもらいました。少し古いマンションだそうで、換気がうまくできなく、画質のあまりよくない携帯の写真ですが、壁にかなりの黒カビが見えました。

そこで、私は、

「バスルームも慢性疲労のようですね。あなた自身の疲れを取り除くように浴室のヨゴレを取り除いてみてください」

とアドバイスしました。

さっそく、彼女は徹底的にカビ取りをはじめました。まず、シャワーカーテンをはずし、洗濯機で洗っている間に、壁と排水溝のドロドロを磨いたそうです。また、シャンプー、ボディーソープなどの空容器がいくつもそのまま出してあったので捨て去りました。

最初は、戦っているような気持ちで磨いていたそうです。でも、だんだんと浴室が自分のように思えてきて、自然と「いつもがんばってるよね。ありがとう」と自分をいたわる気持ちになって涙が流れたそうです。

そして、そのまま、お湯をたっぷりはって入浴したそうです。お湯の中に体がとけていくようで、何度も浴室で涙を流したと言います。お風呂から上がったときは体が軽く、慢性の肩こりもなくなっていたそうです。

「最近は、2駅くらい平気で歩いて移動してるんですよ！」

すっかり元気と仕事へのやる気を取り戻した彼女はバスルームを通して、心身ともに自分自身を癒したのですね。

まさにあなたの神社です……トイレ

すべては感謝からはじまる

トイレが汚いとどうなるか、ハッキリお伝えしておきます。

罰が当たります。 ほんとうにそう思っていただいてけっこうです。

では逆に、トイレにそうじ力を使ってキレイにするとどうなるかというと、次のように驚きの報告がたくさん届きます。

「うちはただの零細企業なのに、大手と今までにない取引が決まりました！」

「臨時収入、なんと2万円ありました！！！」

「長年わずらっていた腰痛がなおりました」

「お肌の調子がよく、キレイになったと言われます」

「12年も付き合っていた彼から、今日ようやくプロポーズされました」

「あきらめていた赤ちゃんを授かりました」

「W大学、S大学、H大学に合格しました。ありがとうございます」

「3年間もボーナスがなかったのに少しですが出ました。意外でした」

トイレはもはや神社です。きっと、神様がいるんです（笑）。

気が付いていないかもしれませんが、トイレが部屋の中でいちばん偉いのです。

トイレが朝一に「あまりにもそうじしてくれないので今日は休みます」といったらどうでしょうか？　トイレのスト。これは大変ですよ。

「今日一日お願い」とほかの場所に頼んでも、お風呂も、洗面所も拒否します。代わりはいません。いちばんやりたくない仕事を毎日やっていただいているのです。

人間の体の機能の中でもっとも大切なのは排泄です。体の不要物を捨てられないと、つまり排泄できなくなれば死んでしまいます。だからいちばんヨゴレやすく、いちばん大切な仕事をしている場所なのです。

ここはあなたの環境や人に対する感謝があらわれる場所なのです。その大切な場所にあなたの心がもっともあらわれるのです。

それは感謝ができなくなることを意味します。環境や周りの人に対して感謝する心がなくなると人は傲慢になっていきます。傲慢になると自分中心に世界が回っているような錯覚を起こし、周囲にいる人たちのあらや欠点が許せなくなったり、見下したりするようになります。そうすると、人間関係がギクシャクし人はあなたから徐々に離れていきます。

人との関係が崩れると自然と運も逃げていきます。些細《ささい》なミスが大きな失敗につながり、そのとき人に助けてもらえなくなります。

金運からも見放されていきます。貧乏な人は、トイレが汚いことが多いです。やっぱり自分のことしか考えないからです。繁盛していないお店もトイレが汚いです。自分本位のサービスしか提供できてないからでしょう。

「お金持ちになりたければトイレを磨け」とよく言われますが、**お金持ちになるということの根底には感謝の心が必要**だと言うことですね。

意識がガラリと変えるトイレのそうじ力

換気扇や便座など、分解できるものは取り外して洗ってください。タンクの中も（元栓を止めて）トイレの排水溝の奥も徹底して磨いてください。

金物はステンレスたわしなどで磨き、から拭きをかけて光らせましょう。一度、徹底的にマイナスを取り除いておけば、後は定期的に5〜10分程度のそうじで維持できます。

よく**素手でトイレそうじをすると効果的だ**と言われます。経営者の間でも流行っているようです。これは、**プライドがなくなる**からです。

排泄物を素手で落とし、磨く。意識がガラリと変わります。「自分自身を変えたい」、「どうしてもかなえたいことがある」と強い想いがある方には試してみてください。

幸運な流れにのるために……排水溝

排水溝のヨゴレがあらわす問題点

キッチン、洗面所やバスルームでも少しお話ししましたが、排水溝にはまた別の意味やキレイにすることでの効果があります。そこで、まとめてもう少しくわしくお話ししたいと思います。

部屋の中にある排水溝と言えば、キッチン、お風呂、洗面所、バスルーム、洗濯機の排水パン、ベランダあたりでしょうか。ほうっておくとすぐにカビなどによって、とんでもなくヨゴレてしまいます。

この家のヨゴレを流す排水溝は、**マイナスを外に排出する大切な場所**です。あなたにとって物事の流れをあらわしています。

この場所のヨゴレを放置しておくと、最終的にはつまります。水が流れなくなります。だから、**あなたの身の回りにもつまる現象が起きてくる**のです。

仕事がつまる、人間関係がつまる、お金がつまる、心が張りつめていきます。すべてにおいて流れが悪くなります。

例えば、条件的にはすべて整っている仕事であっても、まったく予想がつかない展開でうまくいかなくなる場合などです。

排水溝のマイナスを取り除く

人生においてすべてがスムーズに流れているときが、「うまくいっている」状態ではないでしょうか？ 幸せの流れにのるためには、いつも家中の排水溝からきちんとヨゴレと、マイナスエネルギーが流れている状態をつくりましょう。

一度キレイにしておけば、次からは小まめにメンテナンスしていくと、ブラシだけでキレイになりますよ。

ちなみに私も原稿書きに行きづまると排水溝をキレイにします（今回何度キレイにしたことか）。そうすると、スッとつかえが取れるように、スムーズに原稿がすすむのです。

幸せなキャリア女性を襲う、突然不幸！

突如問題が重なるように起こる方には、「排水溝をキレイにしてごらん」とすすめています。

結衣さん（仮名）は、32歳にして、すでに管理職についていました。彼女は外資系の会社に勤めていて、当然仕事もでき、給料もよく、休みの日には彼氏や仲のいい友人達と海外にもよく行っていて、とても充実した毎日をおくっているようでした。

しかし、仕事が急に重なり、いつもなら何の問題もない仕事でトラブルが重なるようになりました。それに端を発して、プライベートでも問題が起こりはじめました。スキューバの免許をとるために資格を取ろうとして、けっこうなお金を振り込んだのに詐欺の会社でお金を騙し取られたり、かわいがってくれていた叔母さんの突然の不幸があったり、間違いメールで友人の裏切りが発覚したり、今まで使っていた化粧品があわなくなって湿疹が顔中にでたり……などなど、すべてにおいてうまくいかない状況に陥ってしまったのです。

「私が問題ではないものばかりなので、そうじをして自分の心が変わっても解決するとは思えません」

このように結衣さんは言っていました。

「まあ騙されたと思ってさ。どうせ排水溝汚いんでしょ？　キレイになったら気持ちいいよ」

と、なんとか家中の排水溝を磨くという約束をしてもらいました。

普段、部屋はキレイにしている結衣さんでしたが、洗面所や洗濯機の排水溝が石けんカスやタオルなどの繊維、髪の毛によってつまりぎみだったそうです。

徹底的につまりをとっていくうちに、不思議なことに、徐々にですが物事がスムーズに流れ出したそうです。

「別に心境の変化もないのに不思議」と言っていましたが、きっとつまりがとれるのと同時に、彼女の運の流れもスムーズになったのだと思います。

日頃から、つまりをとっておくことが大きな問題に発展させないポイントです。

自信がつく、才能開花……クローゼット

クローゼットを満杯にしても満たされないもの

普段よく着る服が、清潔な状態でアイテム別にスッキリ収納されているクローゼットはとても気持ちいいものです。

朝のあわただしい通勤前や急な外出が入っても、これならあわてる必要はありませんね。

服は自分を表現する、なくてはならないアイテムです。この衣類を収納するクローゼットや衣装ケースが整理整頓されず散らかっていると、**がんばっているつもりでも周りから評価されない**という空回りを起こします。

服を買い込みすぎることは多くの女性にみられます。玄関のところでもお話し

しましたが、ストレスを発散させるために買う場合と、自分に対する自己信頼の欠如からくる劣等感の埋め合わせの場合があります。ストレスの発散も、つきつめると自分に自信がないためにストレスを溜める場合もあるでしょう。自分に自信がないから大量の服でごまかそうとしているのです。

半分捨てても問題ありません

パレートの法則というのをご存知ですか？　80対20の法則とも言われています。経済学者パレートが提唱した法則です。全体の2割程度の上位所得者が、社会全体の所得額の約8割を占めるという法則なのです。

つまりこれをあなたのファッションに当てはめると、クローゼットの2割の衣類があなたの毎日のファッションの約8割を占めるということです。結局2割程度しか着ていないということですね。

そうは言っても、8割を捨てる勇気とゴミ袋がないのなら、5割をまず捨ててみましょう。半分捨てるだけでスッキリして、日々のファッションが頭の中でも整理できるはずです。リサイクルショップや、寄附という考えも頭によぎるかもしれませんが、その日のうちに行動が起こせないのなら、捨てることをお勧めします。確かに、まだ着られるものも多くあることでしょう。

「お金をかけたのにもったいないことをした」

「資源の無駄だった」

という自覚をしっかり持つことでこれからは、衝動買いは抑えることができるはずです。二度とムダにしないという自覚が生まれれば、今後はお金も資源もムダにはなりません。

仕事も恋も満たされない！　でもクローゼットはパンク状態

私の知り合いの知夏さん（仮名）29歳は、バーゲンのたびに20〜30万の洋服を買い込んでいました。数万円する服を何点かではありません。一点が3000円や5000円のものですので、大量の洋服がクローゼットに納められるわけです。もちろん、クローゼットに全部納まりきらずに、部屋中にあふれていたそうです。

しかし不思議なことに、そんなに服を持っているはずなのに、私は彼女と会うたびに「いろんな服をもっているな」と思ったことは一度もないのです。

彼女は、お顔もかわいく、仕事もがんばっているようでしたが、周りからの評価が低いのは私の目から見てもあきらかでした。

はなから、「仕事は言われることはやるけど、結婚してはやく辞めたい」とよくもらしていました。だからといって、合コンはよくやっているようでしたが、「出会いがない」といつももらしていました。

30歳目前を意識しているようで、

「出会いがまったくないんですけど、そうじ力で恋愛運がよくならないですかねえ～」

とダメもとという感じで相談されました。

彼女の場合は、実力があるのはわかっていたので、単に恋愛運というより、自分が何を求めているのかということや、彼女が持っている才能を見つけてほしいと思いました。そこで、

「とりあえず、洋服買う前に8割のクローゼット内の服を捨てたほうがいいよ」

とアドバイスしました。

実践していただいた後、案の定、次のような答えがかえってきました。

「クローゼットの中をそうじして驚いたのは、黒いスカートが12枚、白いカー

ディガンが5枚でてきました！　なんだ、私、もう洋服買わなくてもいいじゃん（笑）って安心しました。

恋愛運ですか？　う～ん、いまは会社で販売部に異動するために忙しいので結婚は先な気がしてきました。でも、最近後輩の男の子に恋しそうなので、出会いは意外と身近にあるのかなって……」

自分に自信がついて、才能を発揮しはじめている彼女に、きっと新しい恋も実るはずだと、私は確信しています。

良縁と防犯のために……窓・ベランダ・庭

窓ガラスは心の瞳

窓は部屋の中から外が見える箇所です。ここが、ヨゴレてくると外部に関心がなくなってきます。内にこもる、人と接触を嫌う、人に気を使いたくない、人にも気を使ってもらいたくない……。つまり心の窓が閉じてくるのですね。

どんどん内側にこもり、他人とは話がしたくないとなったり、不登校になったり、会社に行きたくなくなったり、他人との付き合いがおっくうになります。

よく「鬱っぽいのですけど」と相談されることも多いですが、鬱っぽいと言える人ほど鬱じゃないのです。俗に言う「プチ鬱」ですね。そういう方には「窓ガラスを磨いてみては」とアドバイスをしています。

また、もっと友だちの輪を広げたり、よい人脈をつくったりしたい人にもお勧めです。

窓ガラスのマイナスを取り除く

窓ガラスのくもりは、ガラスが雨水、ドロ、排気ガスのヨゴレで外部を遮断しているのが原因です。

基本的には、ぬれているぞうきんで拭いた後、から拭きします。比較的カンタンで、スッキリさせることができるものとしては、「スクイジー」を使うことをお勧めします。T字型のゴムがついているワイパーのようなものですね。

スポンジやぞうきんなどで窓ガラスをぬらした後、スクイジーで上から下に引くわけですが、この際に、一回一回ゴムの部分の汚水をぞうきんでふき取ります。そうすると拭きあとが残らずキレイに仕上がります。

また、サッシレールにはドロやホコリがたまりやすいので注意しましょう。取り除き方は、乾いている状態のヨゴレを固めのブラシで崩して掃除機で吸い取り、そのあと水拭きをするといいでしょう。

一度キレイにしたガラスは定期的に化学ぞうきんなどでから拭きしておくと、キレイさを維持することができます。

犯罪防止にはベランダをキレイに

以前テレビで観たのですが、レポーターの東海林のり子さんが、犯罪が起こった家に取材に行くと、例えばそれがマンションの場合、その外観を見ただけでどの家で犯罪が起きたかわかると言っていました。それはベランダに出されている植木が枯れていたり、ものがごちゃごちゃ置かれていたりと、他の家と比べて明らかに汚いということでした。一軒家であれば庭にあたるのでしょうか。

詐欺などもターゲットを決める際に、庭を見るそうです。手入れがされていなく、洗濯物がだらりと干されているところをねらうらしいです。

ベランダや庭は何をあらわしているのでしょうか？　ここは、人にたとえれば顔ではないでしょうか。部屋の中が汚くマイナスエネルギーが渦巻いていると、それが外部まで影響を及ぼします。

人の顔も同じですね。なかなか、人の心の中というものはわかりかねますが、その本心があらわれやすいのが顔です。必ず顔にその人の性格や、生き方があらわれます。予断ですが、騙されないためにはいろいろな人と知り合う経験をして人を見る目をやしなうのがお勧めです。

ベランダや庭が汚いと、看板に「うちはマイナスエネルギーがどんどん出てますから、マイナスさんぜひ来てください」と掲げているようなものです。

思わぬところで人脈が広がった！

友代さん（仮名）は大学を卒業してからひとり暮らしをして4年たつそうです。ここ2年くらい鬱の傾向があり、会社と家の往復はするけどほぼ引きこもりの状態ということでした。

窓ガラスの状態を聞いてみたところ3年位拭いたことがないということでした。「一度窓ガラスをすっきりキレイにしてみては」と勧めたところ、半日くらいかけてキッチンやバスルームの小さな窓からベランダのサッシまでクリアになるように磨きあげたそうです。

「気が付かなかったけど、ずいぶん汚れてたなあ」とスッキリした窓越しに夕日を眺めて気分よくお茶を飲んでいたそうです。そのとき、高校時代の友人から何年かぶりに電話がかかってきて、友人を集めた飲み会に誘われました。

「人見知りなので、普段知らない人だらけの集まりなんて絶対にいかないんです。でも、なんか気分もよかったので気が付いたら行くって答えていました」

そこで、同い年のいろいろな夢に向かってがんばっている人達からも触発され、また、少し興味を持っていた福祉関係のボランティアの情報も得ることができました。今ではそのときの友人の紹介で週2回、ボランティアで障害者の施設のお手伝いをしているそうです。

窓ガラスをキレイにすると心も未来も開けていくということですね。

思考を鍛えて、知的美人をつくる……本棚

本棚のヨゴレがあらわす問題

本を読むことは素晴らしいことです。読書は知識を得たり、その時間を楽しんだりする以外にも、自己と向き合うことができる大切な時間です。

電車のなかで、ゲーム、メールに果てはメイクに夢中になっている人を見ると必ず口があいてずいぶんだらしない表情をしていて悲しくなります。一方、本を読んでいる人はきりっとした表情をしています。これは、思考していると顔の表情が引き締まるからだと思います。

しかし本棚がいっぱいで、本の置き場所に困っている方も多いのではないでしょうか？　また、ご家族の中に読書家がいて、本のことで常にもめていること

もあるかもしれないですね。

本棚が乱雑でホコリがかぶっていると、思考停止になってきます。**古い考えのままでいるので成長が止まってしまう**のです。

スペースを決めましょう

本を読むことはいいことだと言っても、読み終わって捨てられない本がどんどん増えてきます。大屋敷やお城に住めるわけではないので、スペースの問題があります。学者の方や執筆家の方は書斎として一室を確保しているようですが、なかなか私達のような普通の人ではできませんよね。

ポイントは**「現状で持てる分を保有する」**です。今の現状で持てる量を決めることですね。

本棚、ひとつ分、２つ分などと部屋のスペースと相談して決めましょう。それに納まりきらないものは思い切って捨てることです。

私も、以前は本を捨てられない症候群でした。妻ともよくもめました。蔵書の量が自分の価値を決めると思っていました。また、これは多くの読書家が陥りがちなことですが、読んだ本の冊数を知的勲章のようにとらえている裏には、知的コンプレックスがあります。

今は月一くらいで本の整理をして、どんどん捨てていきます。本棚との付き合いが頻繁ですので、ホコリもなくキレイに整頓されています。

引き締まった筋肉質な本棚にしましょう

情報はあなたの人生の中で使ってこそ、価値があるものだと思います。ひとつの本棚でも、そこに納まらないものは捨てるわけですから、常に不必要な情報は排斥されていきますので、筋肉質のよい本棚となっていくことでしょう。

それは、あなたの考え方が、進化するさまを客観的に見ることができていいことかもしれません。すると、頭がスッキリして、読書欲もわくのでどんどん本がやってきます。

読書命の友人編集者も、本だけはどうしても捨てられないと嘆いてました。しかし、いくら嘆いてもスペースの問題が現実あるわけです。気持ちはわからないわけではないので同情し、私も実践している本棚の筋肉質化をお勧めしました。

じっさい捨てる本と残す本を整理していると、これからの自分には必要のない本が数多くあることを発見したそうです。

一冊数百円から数千円で購入できる本はコストが低いわりに、有効な自己投資です。しかし問題は、本はひとつの素材に過ぎないということです。

素材をいかしてあなたの思考を鍛えましょう。それを仕事や社会や人生に役立てていきましょう。

各部屋のマイナスを取り除いてなりたい自分になる

客観的に自分を見つめよう

各部屋のヨゴレとそこにあらわれる問題点、改善方法をお話ししました。もしあなたがトラブルを抱えているとしたら、少し注意して各部屋を見てみましょう。「あなた自身が部屋にあらわれる」とお話ししてきましたが、各部屋の理念を知ってヨゴレ方を見ることで、より客観的に自分自身の問題点を把握する参考になるかと思います。

そしてもちろん、ここに書かれていることがすべてではないと思います。悩みも人それぞれで個人差もありますし、その部屋を何の目的で使っているかの違いもあります。それによってヨゴレは複合的にあらわれることもあります。

いずれにしても、各部屋のヨゴレを取り除くことによって、磁場を整え、明るく積極的な心で悩みや問題をクリアにして、より理想的なあなたとなってください。

すべての部屋と場所を解説できませんでしたが、ぜひ参考にしてみてください。

Chapter3
あなたの身の回り・体・心をキレイにする「そうじ力」

夢をかなえる人の共通点は「清潔」

あなた自身をそうじ力でキレイに

部屋をキレイにすると、自然にあなた自身もキレイになっていくとは思いますが、応用編として、この章では**「あなた自身をそうじ力でキレイにする」**ことについてお話しさせていただこうと思います。

部屋のキレイな空間と相乗効果が期待できます。くれぐれも、部屋を汚いままにこちらに移行せずに、まずは、あなたの心の反映である部屋をキレイにしてからにしましょう。

さて、ではあなた自身をキレイにするのはどうして重要なのでしょうか？

看護師をしている友人の話によると、精神疾患になる過程は見た目に如実にあ

らわれるそうです。それは、どんどん身なりが汚くなるのです。お風呂にも入らなくなり、何日も同じ服を着ているそうです。また、女性の場合は、お化粧もまったくしなくなるそうです。

私自身が精神的危機に陥ったことがあるので、これは確かにうなずける話です。生きる気力がなくなっているせいでしょう。また身なりにかまわなくなるので、ますます生きる気力がなくなってくるとも言えます。もちろん病気だけではなく、不運も引き寄せることになります。

Chapter 1でもご紹介しましたが、前田義子さんも、強運になる人は自然と「清潔」「身ぎれい」になっていくものだとおっしゃっています。

成功する男性を見極めるポイント

ここで特に出会いを求めている女性の方に覚えておいてほしい、成功する男性を見極めるポイントがあります。

それは、**「爪」**です。いくらブランドものの洋服を着て、高価な時計を身につけていても、爪が長くのび黒くヨゴレている人は、いろいろな面においてだらしなく、お金もたまらない人だと言えます。

もちろん、その人の部屋や、財布、靴などもチェックポイントではありますが、いちばん手っ取り早く、その人と付き合ってよいかどうかがわかるのが、爪と言えるでしょう。

これは、億万長者の奥さんがおっしゃっていたことです。彼女はかつてホステスをしていたそうです。そこでただの若いサラリーマンだった旦那さんに会ったとき、「この人は成功する」と思ったそうです。それは、ちゃんと爪がキレイで、食べ物などをこぼしても、すぐ拭き取り、常に自分の周りをキレイにしてお酒を飲んでいたそうです。

もちろん、これは逆も言えますよね。**あなた自身の爪や身なりも人からチェックされるポイント**なのです。

「類は友を呼ぶ」の法則どおり、自分自身がキレイな身だしなみで幸せにならないと、成功する人とめぐり合えないのです。

さあ、それでは、次からは具体的にあなた自身をキレイにするそうじ力を紹介しましょう。

キレイな服は不幸を寄せ付けない！

見た目で人は判断する

メラビアンの法則というのを知っていますか？　アメリカの心理学者アルバート・メラビアンが提唱した法則です。

人の印象とは、

視覚情報（見た目・表情・しぐさ・視線）**55％**
聴覚情報（声の質・速さ・大きさ・口調）**38％**
言語情報（話している内容）**7％**

半分以上を人は見た目で判断しているということなのです。

こんな話もあります。同じ能力がある生徒でも、キレイな服を着て笑顔の生徒

と汚い服を着て笑顔が少ない生徒では、キレイな服を着て笑顔の生徒のほうが能力が高いと教師は判断してしまうそうです。

なかなか人は、心の中までは見抜けないものです。また、心は表面にあらわれるということも言えるでしょう。

清潔な服はあなたを守ってくれます

キレイな服を着るということはオシャレなだけでなく、**清潔な服を着る**ということです。「これくらいのシミは目立たないからいいかな……」と、自分を納得させていませんか?

シワやシミ、縫い目のほころびなどは、確実にあなたから運をうばいさります。

定期的に洗濯して清潔に保ち、アイロンをかけ、毛玉取りなどでメンテナンスをして、大事に着ることによって服に対する考えが変わってきます。

いくらクローゼットを整理しても、ヨゴレた服ばかり入っていては意味がありません。キレイな服をクローゼットにキレイに収納しましょう。また、**大事にキレイにしている服は、マイナスエネルギーを避けあなたを守ってくれます。**

時間に追われている人はバッグを整理しましょう

つめ込むほどに時間に追われる

私は、仕事の連携がうまくいかなくなると、バッグを見直すことにしています。案の定、不必要な資料や小物がつめ込まれ、また読み掛けの本が3冊ほど入っていることがよくあります。

どうりで、肩が凝るわけです（笑）。また、必要なときに必要なものを取り出せなくてあたふたすることもあります。

なぜ、そんなにバッグにいろいろつめ込んでしまうのでしょうか？　それは、「時間がない」という不安のあらわれです。

仕事のバッグだと、処理中の書類やパソコンが入っている場合があります。

「どこかで時間を見つけて処理しよう」という不安が、バッグを重くしているのです。確かに、効率よく時間を使うのはいいことです。でもやはり、**その場でやることは終わらせて、いつまでも引きずらないこと**です。頭が切り替わらないと、苦労ばかり溜め込むことになります。

女性の場合、化粧ポーチに大量の化粧道具をつめ込んでいて、まるでプロのメイクアップアーティストのような人もいます。出かける前のメイクでは不安ということでしょうか？　毎日のメイク直しに使っているものだけ入れるようにしましょう。

バッグに不要なものをつめ込むほどに、時間に追われます。必要最低限なもの以外入れないようにしましょう。

不要なレシートや、ガムの紙、路上で渡された宣伝のチラシなどが溜まることが多いので、毎日チェックしてゴミは捨て、キレイに保ちましょう。

必要なものは外出先でも与えられます

「何かあるかわからないから」ということで、会社や買い物に行くときに、どう考えても必要のないものをバッグにつめ込んでいる人も多いようです。

Chapter 1の「捨てる基準」のところでお話しした、**未来の「いつか必要」**がバッグに入っているということですね。捨てろとは言いませんが、**必要なものは外出先でもちゃんと与えられるはず**です。

安心して、「使うかもしれないもの」はバッグから出しましょう。

財布をキレイにするとお金に好かれます

財布はお金のホテルです

財布は、お金から見ればホテルみたいなものです。

ふらりとあなたの財布にやってきて何泊かし、また旅立っていく。何年も泊まり続けているお金はいませんよね。あなたはお金のホテルのオーナーということです。

私は仕事や講演で各地のホテルにお世話になります。また、ホテルのロビーで打ち合わせをすることもあります。そのせいか、私はホテル大好き人間です。

サービスのすばらしいホテルに出会うと「今度もここに泊まりたい」となります。また、人にも「あそこのホテルはいいよ」と口コミを広げたくなります。

人にとってのホテルのように、お金にとっての財布は同じものなのです。

あなたが、どうしても行かなければいけない場所のホテルに宿をとったとします。そこで、スタッフの対応が悪く、館内が薄ヨゴレていて、狭い部屋に押し込められ、部屋にはあちこちによくわからない置物が汚く並んでいる……。これでは、もう二度と行きたくない、周りの友人にもやめとおけと忠告したくなることでしょう。

あなたの財布も、こんな財布になっていませんか？

お金に人気の財布をつくりましょう

意外と財布の中は不要物でいっぱいなのです。レシートや領収書がつめ込まれていませんか？

一度しかスタンプの押されていないメンバーズカードや、行かなくなったレンタルビデオ店のカードなど不必要なものを捨てましょう。

財布の色を気にされる方も多いようですが、私はあまり気にしていません。まずは今持っている財布をキレイにしましょう。洗剤や皮専用クリームでヨゴレを取ってください。

お札は、絵柄をそろえて入れるようにしましょう。印刷されている人物の頭を下にして入れる、逆に上にして入れると、いろいろ説はあるようですが、きちんとキレイにそろえて入れるのが基本です。私の場合は、頭を下にして入れています。また、レジなどでお金を出すときも、そろえて出すようにしましょう。

以前、セミナーで「お金を引き寄せるそうじ力」として、5円玉を磨く実習を行い好評でした。

お金とのこれまでの付き合いを反省しながら、感謝の気持ちで研磨入り洗剤で5円玉を磨くと驚くほどピカピカと光り輝きます。

トイレを磨くとお金回りがよくなりますが、直接、財布をキレイにして、お金に対する感謝をあらわすことが、いちばんお金は喜ぶと思います。**お金は喜べば、また友だちを連れてあなたの財布に戻ってきます。**

パソコン・携帯メールの受信箱をスッキリと

情報に翻弄されていませんか?

パソコンも、携帯電話のメール機能は、今ではなくてはならない必需品です。連絡を取るのにも、書類を添付して送るのにもメールは大活躍です。

しかし、パソコンの受信トレイも携帯電話の受信ＢＯＸもすぐ容量いっぱいにメールが溜まってしまいます。

「メールを開くのが怖い」

「受信箱があふれかえっている」

最近ではよく聞く話です。私もあるとき風邪で寝込んだ後に、受信トレイを見ると200件以上新着メールが入っていて驚きました。この原因は何かと言うと、7

割は「メルマガ」でした。知らず知らずのうちに購読するものが増えてしまったということです。やめればいいのでしょうが、情報に取り残される気がしてやめるにやめられない。これは恐ろしいことです。現代病だなと思いました。

3種類のフォルダーでスッキリ

パソコンのメール整理術は、常に受信箱を空にすることです。

メルマガなど時間がなくて読めないものは**「月のフォルダ」**に入れます。「月フォルダ」は期限付きで、1ヶ月ごとにフォルダごと処分します。

返信など処理しなければならないものは**「処理するフォルダ」**に入れます。

処理したものは、あいうえお順の**「目的別フォルダ」**に入れます。

この3種類のフォルダだけでスッキリさせておきます。受信箱が常に空っぽになっている。これだけでも、とても気持ちがいいものです。

携帯メールの場合も、フォルダをつくれるものはつくって、分類しましょう。また、出会い系などの勧誘メールは残しておいてもいいことはないので、すぐに削除しましょう。

メール整理でいい知らせが！

この本を担当してくれている編集者のKさんに、このメール整理術をお勧めしたところ、さっそく実行してくれました。

2000件以上、受信トレイに入っていたので、分類や削除にも時間がかかり、半日の作業になったそうです。

今では連絡を取っていないある人から2年前にもらったメールをフォルダに移しながら、「この人、いまどうしているかな？」などと思い浮かべたそうです。受信トレイを全部整理し終わったあとは、「スッキリして気分がよくなり、仕事もはかどります」という喜びのメールをもらいました。さらに、そのメールのすぐあとに、またKさんから喜びのメールが来ました。

その「どうしているかな」と思った人からメールが久しぶりに来て会う約束をしたり、「あなたにお願いしたい企画だから」と仕事の紹介メールなどがきたり、また「プレゼントを贈る」というお知らせメールなど、その日にいい知らせが続々と何通も来たそうです。

アクセサリーは光らせることで幸運を呼ぶ

マイナスエネルギーを吸収しやすい

有名人はステキなアクセサリーを身に付けていることが多いと思いませんか？

これは、じつは理にかなっているのです。

有名人は羨望だけではなく、嫉妬など多くの人のマイナスのエネルギーも向けられます。しかし、**光るアクセサリーを身に付けると、その光の反射で向けられたマイナスエネルギーを跳ね返すことができる**のです。

よく身に付けるアクセサリーは、見た目よりもヨゴレやマイナスエネルギーを付着させています。まめにメンテナンスをしましょう。キレイな状態に保っているアクセサリーは、服と同じように**あなたを守ってくれます。**

金やプラチナであれば、消毒用エタノールと水を半々でわって5分くらい付けておくとキレイになります。

シルバーアクセサリーは重曹や歯磨き粉でもキレイになりますが、専用のクリーナーでの洗浄をお勧めします。

石なども硬度材質などさまざまなのでそれに適した洗浄方法でキレイにしてください。

また、石や金属などはエネルギーを吸収しやすいので、容器に入れた炒り塩の上に一晩おいてマイナスエネルギーを吸い取ってもらいましょう。

リング・ブレスレットは愛のお守り

リングは縁が結ばれた象徴です。指輪の交換は古代ローマ時代からあったと言われています。

効果的なのは贈られた相手を思い浮かべて、感謝の気持ちで磨き上げると愛情と信頼関係が深まります。

これから出会いがほしい方は、リングと共にブレスレットを磨くといいです。

ブレスレットはもともとマントを止めるものとして使われていたそうですが、結婚への憧れという意味もあるそうです。

キレイにする際に「私を必要とする人が必要なときにめぐり合えますように」という気持ちで磨いてください。

体に溜まる毒素と脂肪をスッキリさせる

石原先生のニンジン・リンゴジュースで毒素スッキリ

ヨゴレを取り除き、マイナスエネルギーを取り除いた部屋を維持し続けると、人生に対して積極的になっていきます。キレイな部屋に住み続けると、今度は体をキレイにしたくなるのです。健康に気が向くということですね。私の場合も今振り返ると不思議ですが、部屋がキレイになってきたあたりから、急に健康に興味がわいてきました。

読者の方からも同様の「動くのが嫌いだったのですが、部屋が片付いたら自分の健康に関心がわいてきて、最近ウォーキングをはじめました」などの反響がよせられています。

私の場合は、石原結實先生のニンジン・リンゴジュースを毎朝飲むようにしています。

つくり方はカンタンです。ニンジン2本と、リンゴ1個をよく洗い皮や種もそのままにして、ジューサーにかければ完成です。これをゆっくりかむように飲むのです。人に必要なビタミン・ミネラルもしっかりとることができ、ニンジンのカリウムが排尿をうながしてくれるそうです。くわしくは、石原先生の書籍をご覧ください。

私はまた、食べ物の好みも自然と肉から野菜に変わってきました。

塩マッサージで肌と体内を浄化!

塩の中の塩基という成分が、肌のゴミや、汗、脂のたんぱく質と結合して、ヨゴレを取り除いてくれます。顔や全身をこの塩で洗えます。肌を傷つけないように、粒子の細かいものを選びましょう(必ず、自然塩を使ってください)。

女優の小雪さんも、塩を使って体を洗っているそうです。

「塩は、ヨゴレや角質をきれいに落として肌のキメを整えてくれるから、続けているうちにツルツルになるんですよ。肌にツヤが生まれて、徐々に光を帯びてくるのも塩の効果。たっぷり汁も出て新陳代謝も活発になるし、皮膚も強くなるしね。これは本当におすすめです！」（『bea's UP』２００３年10月号　小雪的美肌講座より）

また、私がコンサルをしている六本木の「かずの自然医療マザーハンド・テクニック」（http://shizenya.jp/matherhand/estheTop.html）というエステでは、いろいろな種類の自然塩でのマッサージをうりにしています。私もやってもらったのですが、疲れが取れて、体がスッキリしました。

このエステの櫻井和子先生に、自宅でできるダイエット、老化防止に効果的な体内浄化塩マッサージの方法を教えてもらいました。

①腰のウエストからおしりにかけて、両手で上下7～10回、やや強めにこすります。②わき腹から足のつけ根に向かって、それぞれ7～10回こすります。③おなかに両手を重ねて、おさえぎみに、時計回りに7～10回円を描きます。

櫻井先生に聞いたところ、内臓の働きが活発になり、血流がよくなって体があたたまるせいか、今まで不妊に悩んでいた女性に子どもができたといううれしい効果もあったそうです。

また塩を使うようになると、お風呂場のヌメリやカビが減るのもうれしい効果です。

汚い街の住人は太る?

毒素とともに悩ませるのが脂肪ですね。

居住環境と肥満との関係について、おもしろい調査をしたグループがありました。イギリス、グラスゴー大学のアン・エラウェイ氏らのグループは、欧州8カ国の成人6919人を対象にして調査しました（論文の原題は「Graffiti,greenery,and obesity in adults: secondary analysis of European cross sectional survey」）。**緑が多いところに住んでいる人**は、緑の少ない環境の人にくらべて、**運動の活発さが3倍も高く**なっていました。また、**肥満の人の割合も約40%低くかった**のです。

一方、居住環境にゴミや落書きが多い人は、運動の活発さが、ゴミや落書きが少ない環境に住む人にくらべて、約50%も低くかったのです。

個人の性格や体質によって肥満になると考えている人も多いと思いますが、じつは、このように環境と肥満が意外にも因果関係にあったという非常におもしろい調査ですね。

このことを踏まえても、やはり、毎日過ごすあなたの部屋を、キレイに保ち続けることが、スリムになれるということです。

じっさい、そうじ力を実践して部屋をキレイにしてから「5キロやせた」、「7キロやせた」という報告もされています。そこでも共通するのがやせようと思ってやせたのではなく、自然にやせたということでした。

私もタバコをやめてからとても太ったので、そうじ力でダイエットにチャレンジ中です。

最近は朝ストレッチをしてからウォーキングをしています。これも何度も挫折したのですが今は自然にやっています。成果が出次第報告しますね。

心にヨゴレを溜めない

言葉で心のヨゴレを解消しましょう

Chapter 1で、プラス思考がうまくいかない原因は、プラスのものを打ち消すマイナスエネルギーが心にあるからだというお話をしました。心のあらわれである、部屋のヨゴレを落とすと自然と心のマイナスエネルギーも消えます。

その相乗効果を高める方法をここではお話ししましょう。

「おやすみ前のカンタン心のヨゴレ取り」を紹介します。あなたが今日一日の中で発した言葉を振り返りながら、心のヨゴレを取り除く方法です。

夜、ベッドに入って寝る前に行います。まず、疲れを吐き出すように大きく深呼吸して全身リラックスしてください。リラックスできたら、今日一日を振り返っ

てあなたの発した言葉を振り返ります。

チェックする項目は３つあります。

①自分自身に対して**消極的な言葉**を使わなかったか？
例「私にはムリ」「私最近ダメだ……」
②他人の**悪口**を言わなかったか？
例「部長ってムカつく、信じらんない」「A子って、性格悪るすぎだよね」
③他人を**傷つける言葉**を使わなかったか？
例「あなたってほんとにダメね」「バカじゃないの」「死ねばいいのに」

以上の３つの項目に当てはまる言葉を発していたら素直に心の中で謝ってください。自分に対しては「消極的な言葉を発してごめんね」。

相手に対しては、「部長、悪口言っちゃってごめんなさい」「傷つける言葉を言ってごめんね」というようにあやまることで心のゴミを取り除きます。

そして、明日からは**積極的な言葉、優しい言葉、励ます言葉**を発していくことを誓います。

最後に自分の理想像を思い描きながら眠りに就きます。ニヤニヤしながら夢の世界に入っていくのが理想的です。

心のゴミは、その日のうちに解消することによって、部屋のヨゴレになってあらわれるのを防いでくれます。

Chapter4

これなら誰でも実践できる！

三日坊主からはじめましょう

どうしても続けられないあなたへ

どうしても、新しいことにチャレンジするときに、あらわれてくる「壁」がありますよね。それは**「継続」**です。続けることができるかどうか不安ですよね。「私のことだ……。長続きするはずがない」と思ってしまいましたか？　意外とこの長続きしないことを、悩みに思っている方も多いようです。

「そうじ力がすごい力を持っているのはよくわかったけれど、私は長続きしないので、いっそやらないほうがいいのでは」と、真剣に相談しにくる方もいます。

じつは、私も継続・持続は大の苦手でした。そこで考え出したのが、「三日坊主法」です。

はじめてそうじ力を行うあなたには、この三日坊主法をお勧めします。もちろん三日坊主で終わる人にお勧めです（笑）。

この三日坊主法は、３日しか続かないという従来の悪いイメージを、強力なプラス思考を導入することで、**「3日間集中してやる」という集中実践法**に生まれ変わらせたものです。

３日間集中して「そうじ力」に取り組めば、それはそれで必ず成果は出てくるでしょう。この成果こそ大切なのです。成果はあなたの実績となり、自信となりますから。

丸3日間の計画を立ててみましょう

例えば、そうじ力のなかでも「マイナスを取り除くそうじ力」の「捨てる」に絞ってみるとしましょう。

１日目はダイニングキッチンと冷蔵庫にある不要物を捨てる。

２日目は本や雑誌を捨てる。

３日目に衣類を捨てる。

このように**絞り込みをして集中的に取り組む**のです。これだけでも、かなりの物を捨てることになり、部屋の中がスッキリします。

これが三日坊主であげられる驚くべき成果なのです。まずは3日間に集中をして成果をあげてください。そして、自信を付けてください。この自信こそが、次のステップの元手となります。

21日パワー法

21の不思議なパワー

三日坊主法により、持続できない不安を解消し、成果と自信を得たあなたに次に「21日パワー法」を紹介しましょう。

これは、**21日間そうじ力を続けると驚異的パワーが得られる**という方法です。

なぜ21日間なのかと言いますと、この「21」という数字は昔から、パワーのある数字として知られています。

ノストラダムスも使っていた「カバラ数秘術」では、7は神の勝利数であり強運数でもあるのです。そして、21はその7の3倍の威力があると伝えられています。

また、神社で願掛けなどするときも、10回2セットにもう1を加えると、願い

が成就するとも言われております。

私自身の体験で言っても、21日間そうじ力を続ければ、あなたを輝かせるそうじ力のパワーを実体験することができるはずです。

21日目から、マイナスエネルギーがある程度取り除かれていって、よい磁場ができあがってきます。そして、実践した本人の心になんかしらの変化が起こるのが21日目なのです。

週末の3日間で21日パワー法を実践！

はじめから21日間やるとなると、これまた持続できない恐怖が出てきますよね？　そこで、三日坊主法を取り入れて21日間実践します。これなら、3日間×7セットで21日間になります。三日坊主を7セット実行に移せばいいのですね。

もちろん、**3日続けて1休む、2日休む**というように、**ゆとりを持って、あなた自身のペースに合わせて取り組んでいただいても大丈夫です。**

次の表を参考に予定をたててみてください。

週末三日坊主×７セット＝21日パワー法

3月　**MARCH**

1	火		
2	水		
3	木		
4	金	↕	冷蔵庫
5	土	捨てる	食器棚
6	日	↕	洗面所
7	月		
8	火		
9	水		
10	木		
11	金	↕	クローゼット
12	土	捨てる	本棚
13	日	↕	押入れ
14	月		
15	火		
16	水		
17	木		
18	金	↕	冷蔵庫
19	土	ヨゴレ取り	食器棚
20	日	↕	レンジ
21	月		
22	火		
23	水		
24	木		
25	金	↕	トイレ
26	土	ヨゴレ取り	玄関
27	日	↕	バスルーム
28	月		
29	火		
30	水		
31	木		

４月　**APRIL**

1	金	↕	家具類
2	土	ヨゴレ取り	窓ガラス
3	日	↕	ベランダ
4	月		
5	火		
6	水		
7	木		
8	金	↕	キッチン
9	土	整理整頓	食器棚
10	日	↕	洗面所
11	月		
12	火		
13	水		
14	木		
15	金	↕	クローゼット
16	土	整理整頓	本棚
17	日	↕	テーブル
18	月		
19	火		
20	水		
21	木		
22	金		
23	土		
24	日		
25	月		
26	火		
27	水		
28	木		
29	金		
30	土		

21日間でどん底からよみがえった

じっさい、そうじ力実践者は21日続けたあたりから、さまざまな奇跡が起こっております。

鬱気味だった人が、明るくさわやかになったと周囲から言われたり、離婚寸前だったカップルが新婚時代のような新鮮さを取り戻したりとさまざまです。

体の不調、夫の入院、娘の家出

なかでも強烈だったのは、東北にお住まいの主婦、詠子さん（45歳・仮名）の体験談です。彼女は自宅で整体の仕事をしておりましたが、一ヶ月ほど前から体の調子が悪くなり、足腰が立たなくなったそうです。仕事は続けられず閉めることにしました。

悪いことに、それと重なり、ご主人も体の不調を訴え入院。長女の高校2年生の娘は家出と、突如家庭はどん底の状況に陥ったそうです。

重なる不運にショックで寝込んでいる中、次女に前作『夢をかなえる「そうじ力」』を渡されたそうです。

詠子さんは、藁にもすがる気持ちで、そうじ力を実践することを決めたそうです。「家族が現在、苦しい状況にあるのはあまりにも部屋が汚いからだ。三日坊主から21日間、そうじ力続けます」とメールをいただきました。

その後も、不要物やヨゴレ取りと格闘するメールが連日届きました。捨てたものだけで、45ℓゴミ袋で92袋だそうです。

このとき三日坊主とは言えず、1日やっては寝込み、2日やっては寝込みと続けたそうです。

心が変わり、奇跡が起きる

11日目、彼女に変化が起きました。トイレを磨いているときだったそうですが、「今回の家族に起きた悪い出来事の原因はすべて自分にあった」と気付いたそうです。整体の仕事に埋没するあまり、家庭のことをそっちのけにしていた自分に気が付いて、トイレを抱えて号泣したそうです。

その次の日は、ものがいっぱいになった玄関をキレイに整えると、なんと、ご主人が急に回復して退院。

その翌日は「玄関で泣き声がする」と出てみると、そこには、家出した娘が帰って来ていたのでした！

そしていつの間にか詠子さん自身も、引きずっていた足が完全によくなり、元気いっぱいになっていたそうです。

それから数日たって、21日間完了のメールが届きました。あらためて、彼女のこのどん底からの復活が21日間のなかで起きたことに驚きました。

誰でもできる！「プチそうじ力」のすすめ

毎日ちょこっと運をよくしよう

21日パワー法でそうじ力の威力を実体験でき、また、21日分キレイさも増したことと思います。

さて、ここでご紹介したいのは、「プチそうじ力」です。ちょっとかわいらしい名前ですが、プチプチっと力を発揮します。

これは、**細切れの時間を使って、ちょこっとだけ、捨てたり、ヨゴレを取ったり、整理整頓をしたりする方法**です。

さわやかな朝のためのプチそうじ力（合計15分15秒）

例えば、私の例で言いますと、夜、就寝前に整理整頓をサッとしておきます。部屋の中に散らばっている不要物をゴミ箱へ、CDや本や雑誌を元の場所へ、サッとやります。**所要時間3分**くらいです。

朝起きるとまずトイレに行きますよね。その際に「今日もよろしくね」という気持ちで上からサッと拭きます。**所要時間1分**。

それから、体操をしてシャワーを浴びます。お風呂からあがるときに、浴室の窓を開けて、全体に冷水をかけます。これでカビ防止完了です。この作業に**15秒**くらい。

洗面所で歯を磨いて、髭を剃ってそのままそこに用意してある、ウエスで鏡を磨き、シンクをスポンジで磨いて**所要時間2分**。

そして、窓を開け換気をして、リビングに掃除機をかけます（私の担当はリビングだけ、キッチンは妻が担当）。これも、**所要時間は7分**くらいです。朝はこれで完了です。

夜寝る前からプチそうじ力にかけた時間、およそ15分15秒。この15分15秒で朝のすがすがしさと、スッキリした心、そして頭の中もシャープになります。

効率のいい仕事のためのプチそうじ力（合計10分）

この状態で仕事に入りますが、開始前にまたまたプチそうじ力をすると、**ぐっと効率があがります。**また、仕事に関するよいお話も舞い込みやすくなるようです。

不必要になった書類を捨てます。パソコンと机をから拭きしてから、今日やるべきことをチェックします。そして、仕事に取り掛かる。

これにかける時間10分です。これをやるのとやらないのとではほんとうに、成果に違いが出るのです。

このようにプチそうじ力は、毎日の生活習慣にコバンザメのように張り付きながら、プチッと力を発揮していきます。

プチそうじ力・タイムスケジュール

プチそうじ力をライフスタイルに組み入れてみました。次のタイムスケジュールは、ひとり暮らしをしている女性の例を元に考えてみました。取り入れられるところから、はじめてみましょう！

7：00
起床

カーテンを開け、掃除機をかける

まず必ず、カーテンを開けて朝の日差しと、少しでも朝の空気を入れましょう。朝日と新鮮な空気は今日の幸運を運んできてくれます。そのあと布団

9：00
出社

をしまう・ベットメイキングをして、メインの部屋に掃除機をかけます。
起きてすぐ動けばその間、15分です。

シャワー・洗顔

洗面所の水もふき取り、鏡の水はねを拭くついでに「私はキレイ」を唱えましょう。今日も一日あなたの魅力的なオーラがあふれます。

朝食

食べた後の食器はその場でさっと洗いましょう。朝なのであまり油もつかっていないはずです。水とスポンジで付いたばかりのヨゴレをさっと洗い、厚手のナプキンで水気をふき取り食器棚に収納しましょう。食べたすぐ後なら、ヨゴレは取れやすいです。

メイク、着替え

脱いだ服は、たたんでおきましょう。使ったメイク用品も出しっぱなしにしないで収納場所にしまいましょう。あなたのキレイが一日続きますよ。

今日の仕事の準備

オフィスについたら、電話やデスクの上を拭きます。そして、今日やる仕事の資料を出しましょう。これで、一日の仕事の流れが明確になります。

メールチェック

朝のコーヒーでも飲みながら、メールのチェックをしましょう。不要なメールは確認ししだい消去し、必要なメールはフォルダへ移します。夜のうちに来ていたメールの返信や、前日会った方へのお礼のメールは、溜め込まずにこのときに送りましょう。スッキリした受信トレイにはラッキーメールが舞い込むことでしょう。

12：00
ランチ

食後の歯磨き&メイク直し

洗面所で身だしなみチェックをして、午後も清潔感を保ちます。洗面所の水の飛びはねも、キレイにしましょう。午後の効率もアップです。

13：00
仕事再開

社内は早足で移動しましょう

他部署への移動や、トイレに席を立つときは、背筋をのばしてさっそうと歩きましょう。ゴミが落ちている場合は、ひろってゴミ箱へ。ゴミがあるとオフィス全体が停滞します。

18：30
退社

ゴミ捨て、机の上の整理

ゴミ箱は空にしましょう。また明日も気持ちよく働けるように机の上は整理して帰ります。

19：00
寄り道

スーパーなど、買い物へ

夕食の買い物やあなたを高めるものを買います。くれぐれも、衝動買いはしないようにしてくださいね。

20：00
帰宅

料理＆夕食

今日のメニューは血液内の老廃物を解毒するレバーと、発汗、利尿、整腸作用のあるニラで「レバニラ炒め」。そして、食物繊維豊富な「キノコ類でお味噌汁」、ご飯は体を温める「玄米ブレンド」をよくかんで食べましょう。もちろん、料理後のガスコンロまわりはすぐ拭いて、食器も食べたらすぐ洗うようにしましょう。

22：00
入浴

体もバスルームもそうじ力でキレイ

半身浴で汗をながし老廃物を追い出します。自然塩のボディ・マッサージで体を清潔に、そしてリンパの流れをよくしましょう。

体を洗うついでに、排水溝のヌメリや黒カビもこすっておきます。バスルーム全体に冷水でカビ予防、体にも冷水シャワーで毛穴をひきしめます（これで冷えにくくなります）。

23：00
就寝前

音楽＆読書の前に……

寝室の不要物を片付けます。それから、ゆっくり音楽を聴いたり、本を読んだりしましょう。寝る前にはあまり過激なものではなく、モーツァルトなどのクラシックや、ハラハラし過ぎない本がおすすめです。

24：00
睡眠

なりたい自分を想像しながら就寝

そうじ力でシンプル・ライフスタイル美人

そうじ力は実践してこそパワーを発揮します。実践にははじめは努力が必要です。でも、この三日坊主法、21日パワー法、プチそうじ力の、3つのアイテムは、きっとあなたを助けてくれるでしょう。

これを、無理のない範囲であなたの生活に導入しながら、シンプルなライフスタイル美人を目指してみてください。

Chapter5

そうじ力Q&A

そうじ力Q&A

Q

そうじをしようと思っても、脱ぎ捨てた衣類の山や、ゴミを目の前にすると、どうしても、体が動かず片付けることができません。無理にやると、具合が悪くなってきます。何かいい方法はありませんか?

A

最初の段階のマイナスを取り除くそうじ力で、部屋に溜まったマイナスエネルギーを取り除くわけですが、これはものすごくパワーを使います。じっさい、そうじをしている最中に具合が悪くなったという話はよく聞きます。ではどうすればいいかというと、**そうじをする範囲をせまくするこ**

とです。これは、マイナスのエネルギー100に挑むのではなく、10とか5ぐらいに分解して退治をしていく方法です。これだと無理なく着実に部屋はキレイになっていくでしょう。

Q

ものや雑誌で床がまったく見えない状態で、まさに、ゴミ屋敷です。何から手をつけていいかわかりません。

A

まずは、キレイにするという決意をしてください。その次に窓を開け「換気」をしましょう。**はじめに取り掛かるのは「捨てる」です。**何を捨てるか決めましょう。

ゴミで埋まっているのですから、**まずは燃えるゴミを中心に捨てましょう。**次に燃えないゴミ、雑誌……というように、一つひとつに集中して取り組んでください。溜まったゴミ袋はその日のうちに家の外に出してください。このように、一つひとつ集中して捨てることに取り組むと、意外とカンタンにゴミ屋敷から開放されます。ゴミ屋敷をつくったあなたの分散する思いに対して、少しずつ集中のエネルギーでそれを分解していく感じです。

Q

ゴミからはマイナスエネルギーが出るそうですが、吸い込むとマイナスエネルギーが体に溜まるのでしょうか？　そうじをするときは、マスクとかしたほうがいいでしょうか？

A

マイナスエネルギーは口から入るとは限りません。浴びるといった感じでしょうか。しかし、そうじするときはホコリを吸い込むことはあるので気になる方はマスクを付けてしたほうがいいでしょう。

ゴミからマイナスエネルギーはでますが、あなたの心がプラスであるなら波長は合わないのでさほど心配する必要性はないと思います。

Q

昔から、そうじはしっかりやっています。でも、いいことなんて何も起こりませんよ。

A

人の想念が磁場になるというお話を思い出してください。マイナスエネルギーを取り除こうとして、新たにマイナスエネルギーを乗せてしまうこともあります。

それは、①**潔癖症の場合。**潔癖症の方は心の奥底で自分が害されるという想いに執着してしまう場合があります。②**他人に認められるためのそうじ。**アピールするための「認められたい磁場」をつくってしまいます。③**他人に強制するそうじ。**家族が汚し放題の場合、「なぜ、○○はそうじしないんだ、けしからん」と人を裁く磁場をつくってしまいます。

これらは、いくらヨゴレなどを取り除いてもそうじ力ではありませんので、注意してください。

Q

私の家はおかげさまで、毎日そうじ力でキレイにし、ありがとう空間をつくっています。そこで、ご相談なのですが、私の夫の実家が恐ろしく汚いんです。家も近く、よく子どもをつれて遊びに行くのですが、汚くてうんざりします。どうやって片付けるように言えばいいでしょうか?

A

あなた自身の体験談を話してみてはいかがでしょうか。そのときの注意点ですが決していやみにならないよう、さりげなくして話してくださいね。もしくは、ご主人と親孝行の一環として大そうじをしてあげるのもよいのではないでしょうか?

また、普遍の法則として、**「人の心は変えられない。変えられるのは自分の心だけ」**ということです。まずは、あなたがもっと輝いて幸せになれば、きっと影響を受けて、そのうち変わるかも知れませんよ。

Q

『夢をかなえる「そうじ力」』を大変おもしろく読ませていただきました。捨てると生まれ変われると書いてあって感銘を受けました。でも、資源をみすみす捨て去るのに抵抗があります。だって、私には必要がなくても、まだまだ使えるものばかりです。リサイクルや、オークションで売ってお金に換えるのは、そうじ力にはなりませんか？

A

「捨てる」までにはいろいろと心の中で葛藤をすることでしょう。「このものにはあの時の思い出がある」「これを捨てると後で困るのではないか」などといろいろな心の思いを捨て去って、はじめて「捨てる」決断ができるのです。そこで**最後の誘惑、最後の迷いがリサイクル**なのです。

「私には必要ないが、他の誰かが必要としているのではないか？」は、まったくもって反対のできない考え方です。しかし、ここに落とし穴があります。「いつ、リサイクルショップに持っていくのか、いつオークションに出すのか」という問いかけです。ここをハッキリさせておかなければ、「いつか使うもの」に分類されます。そして、「いつか」は来ることはないのです。「もったいなくて捨てられなかったもの」となるのです。

資源の問題、ゴミの問題等ありますが、私としてはどんどん捨てることで、**次に買うときに無駄なものは買わない・欲望のままに買わない心がつくられ結果的に資源やゴミ問題に貢献できる**のではと思います。

Q 仕事が忙しいので、週1回に徹底してそうじをしています。これでもいいですか?

A 何もしないよりは、週に1回徹底的にそうじをした方がいいでしょう。

1週間分のマイナスエネルギーは取り除かれるでしょうし、1週間という単位で自分自身を見つめることにもなりますので、あなた自身のスタイルではじめるといいでしょう。そして、それがひとつ習慣化できれば、また次のステップに進むといいのです。

Q

最近、そうじにこっています。自分でも不思議な気分です。何かの暗示でしょうか？

A

新たなステージへの移行ではないかと思います。物事がうまくいっていないとき、停滞気味のときはなかなかそうじができないものです。今あなたがそうじにこっているということは日々新生しているということですから、新しいことにどんどんチャレンジしてみてはいかがでしょうか？

Q

間違いのないパートナー選びをしたいと思っています。部屋がキレイかどうかで見分けることは可能でしょうか？

A

123ページにも書きましたが、爪がキレイな人というのがチェックポイントでしょう。さらに、あなたにふさわしいステキなパートナーを選ぶためには、まずあなた自身の部屋を整えてスッキリサッパリの部屋にしましょう。そこに腹式呼吸で「ありがとう」と唱えながら、ぞうきんがけをします（ありがとう空間づくり）。そこで理想のタイプを具体的に設定してください。これで間違いのない、あなたにぴったりの人が引き寄せられるでしょう。

Q

洗濯とそうじ力は関係がありますか？

A

もちろん関係があります。洗濯自体はヨゴレを取り除くことです。キレイな服はあなたを守ってくれます。また家族のために干してたたむときも、「本当にいつもありがとう」と言ってたたんでみてください。その気持ちが衣類を通して着る人たちに伝わりますよ。

Q

私は、接客業のため、手を人前に出す仕事なので、手あれにはすごく気をつかっています。トイレそうじを素手でするとかいう話も聞きますが、手あれをしてまでやる意味がわかりません。手や爪がぼろぼろになったら運気だって上がるとは思えません。

A

大切なのは何のためにその行為が必要なのかということです。トイレそうじを素手でやることによって得られることは、「プライドが取れる」ことです。汚いと思っている便器を、**素手で磨き上げることによってプライドが取れて、素直な心になり、感謝ができるようになる**のです。ですから、あなたが素手でトイレそうじをして、手が荒れて仕事に支障が出るのであれば、感謝どころではなくなります。それでは意味がないのです。ゴム手袋をしても、キレイなサッパリ空間をつくり、**感謝の心で日々過ごせるのであれば、素手でなくともその目的は得られていることになる**のです。

Q

家族はみんな問題が山積みです。古い家なのですが、家相の専門家に見てもらったら、どうも家相がよくないらしいのです。玄関の位置や、水周りの位置を直すように言われました。そうじ力も、家相や風水的なものは関係するのですか?

A

そうじ力の基本的な考え方ですが、**すべてのはじまりには心の中の想い**

があります。その想いが行為となって結果としてあらわれます。風水や家相を否定はしませんが、まずセルフヘルプ（自助）の精神で部屋のマイナスエネルギーを取り除き、磁場を高めてください。悪いことが起こる原因がわかる場合があります。また、「類は友を呼ぶ」のとおり、波長がずれて悪いことが起こらないようになるでしょう。

Q

家が狭いので、いくら片付けてもすっきりしません。

A

家の広さに応じたものを置くようにしましょう。そのものの収納する場所、空間を決めたらそれ以上のものは捨て、置かない・買わないようにしましょう。また、不必要なものを捨ててもまだスッキリしないのであれば、収納等の本を読んで、創意工夫してみてはいかがでしょうか。

Q

たたみからキノコが生えてきました。どうすればいいですか?

A

これは驚きですね。でも、けっこうよくあることです。湿気がある時期は気を付けましょう。まめに布団は干すようにしましょう。菌がたたみにひろがっている可能性があるのでたたみ替えしたほうがいいのですが、アパートなどでは難しいかもしれません。応急処置として、エタノールで殺菌しましょう。

Q

リフォームをしようと思っています。そうじ力研究家さんとして何かアドバイスをお願いします。

A

リフォームをするのであれば、そのまえに徹底的にそうじをしてください。不要なものもどんどん捨てましょう。リフォーム前であればあるほど家全体の磁場を上げましょう。そうすればあなたに最適のリフォーム屋さんにめぐり合うことができ、理想の家になるでしょう。

Q

私には夢があります。海外へ語学留学して、英語を身に付けたいのです。将来は、海外の貧しい子どもたちのために活躍できたらと考えています。私は、具体的に、どのようにそうじ力を使えばいいでしょうか？

A

あなたの夢は、そのもの社会貢献で素晴らしいです。ぜひかなえてほしいものですね。まず、英語の勉強をする机を重点的にキレイにしましょう。そして、かなったことを前提に感謝してください。その想いで「ありがとう」と机の上を拭きます。必ず夢は実現するでしょう。

Q

人前に出ると緊張してしゃべれません。そうじ力でこんなことも克服できますか?

A

そうじを続けていると自信が付いてきます。人前で話す場所があらかじめわかっているのであれば、「私の話を聞いてくれてありがとうございます」と言いながら床を拭いてみてください。それでも、その場で緊張しそうであれば、お相撲さんのシコを踏んでください。重心を下にすることで血液が下がりますので落ち着くでしょう。

Q

子どもにそうじをさせるには、どう言えばいいでしょうか?

A

これはカンタンです。日ごろからあなた自身がそうじをするところをお子さんに見せてあげることです。そうじが大好きな親の元で育つ子どもは、またそうじが大好きになっていくものなのです。私自身の経験で言うと、前作執筆中、妻と毎日毎日そうじをしていました。すると、いつのまにか子どもたちも自然と後片付けをするようになったり、おもちゃをぞうきんで拭いたりするようになりました。

Q

マイナスを取り除くそうじ力と、「ありがとう空間」をつくるプラスを引き寄せるそうじ力を実践しています。さらに、部屋の磁場を上げる方法はほかに何かありますか？

A

お勧めしたいのは**音楽による磁場**づくりです。とくに、モーツァルトはとてもいいです。音楽療法でもモーツァルトが代表格ですね。日本を代表するピアニストの内田光子さんは、モーツァルトの本質は「愛」だと言っておりました。

そこで、私がお勧めする、部屋の磁場を上げるモーツァルト選曲です。

♪ **クラリネット五重奏曲イ長調K581**

まさに天国を思わせるモーツァルトの傑作です。どの楽章も美しく、誰の演奏を聞いても感動させられる稀有《けう》の名曲です。ウラッハ（cl）ウィーン・コンツェルトハウスSQの演奏がお勧めです。

♪ **ピアノ協奏曲第21番**

この曲の第2楽章は誰もが一度は耳にしたことのある、やさしく美しいメロディです。演奏はモーツァルトの本質と同通している、内田光子さん（p）テイト指揮イギリス室内楽でどうぞ。

♪ **セレナード第13番ニ長調K525《アイネ・クライネ・ナハトムジーク》**

このあまりにも有名な曲を挙げてみました。明るく、楽しく、さわやかなメロディはまさに、マイナスを取り除かれた後の部屋そのものをあらわしているようです。お勧めの演奏はイ・ムジチ合奏団（72'）です。

エピローグ
輝きを世界へ

窓を開けるとスッキリした青空が広がっています。そよ風が部屋の中を通り抜けていきます。余分なものはスッキリ捨てて、キッチンもリビングも玄関も、ヨゴレが取り除かれてサッパリ、ピカピカです。

キャビネットも引き出しも整理整頓によって存在意義がハッキリしたものたちが、あるべきところにあらしめられています。

キレイでさわやかな空間。そう、これがほんとうのあなたをあらわしている空間なのです。

あなたの心は今、穏やかではないでしょうか？　幼い日に幾度か味わったことがある平和で安らいだ心ではないでしょうか？

今まで、外に外に必死になって追い求めていても手に入れることができなかった「幸福感」がここにあるのです。

私はそうじが嫌いでした。

学生のころはいかにサボろうかと考える毎日でした。

社会に出て食べるために仕方なくそうじの仕事に就きました。カッコ悪い仕事だと思いました。いつも早く辞めたいと思っていました。

しかし、挫折したときに助けてくれたのはそうじでした。そうじがいつも生きる糧を運んできてくれました。そうじが私の輝きを取り戻してくれました。

いつしかキレイにすることが喜びとなりました。キレイにすることが尊いことだと知るようになりました。

そして、そうじ力の法則を発見しました。


私は「そうじ力」を全世界の人々に伝えたいと思っています。そうじには心を輝かせ、人生を好転させる力があることを伝えたいのです。

ぞうきん1枚で人生を大逆転することができることを伝えていきたいのです。

しかし、私の力だけでは到底伝えきれません。そこでお願いがあるのです。

あなたが今回、そうじ力を実践して得た輝きを、ほんのわずかな輝きでいいので、まだそうじ力を知らない人たちに伝えてほしいのです。

「そうじをしたら幸せになるよ」

これだけでいいのです。

そうすれば、近い将来、日本がどこよりもすばらしい輝きをはなつようになるでしょう。その輝きは、この国からあふれ出し世界へ伝わっていくことでしょう。

はじまりは、あなたの輝きからです。

あなたのその輝きは、ダイヤモンドの数百億倍美しい！

その輝きを、その美しさをこれからも大切にしてください。

おわりに

1月の雲ひとつない晴天、いつものように換気をします。さすがに肌寒い。バルコニーに面した窓からは暖かい日が射しています。

その陽だまりの中で、6歳になったばかりの長女が2歳の次女に絵本を読み聞かせていました。私が今回の執筆のために購入していた『シンデレラ』です。

「シンデレラはね、そうじ力でお姫さまになったんだよ」

「そうなんだぁ」

寄り添う2人を眺めていると、胸が一杯になってしまいました。

いつも輝いている君たちから、パパは多くのことを教えてもらったよ。

全エネルギーで精いっぱい生きることやとらわれなくなんにでもチャレンジしていく精神、そして、何よりも素直な心。

海結、愛梨、ありがとう。

これからもパパは、君たちが活躍する未来をそうじ力でつくっていくよ。

本書が出来上がるまでに多大なるご協力をいただいた大石さん、西澤さん、萩原さん、岡本さん、大和さん、加藤龍美・征子さんありがとう。

そして北海道の母、書斎を貸してくれた父に心より感謝いたします。

また、そうじ力研究会スタッフのみんな、いつも支えてくれてありがとね。

前作同様、並々ならぬ情熱で完成まで導いてくれた編集の金子尚美さん、苦労かけました。本当にありがとうございました。

そして、この本を買って、最後まで読んでくださったあなたに心より感謝いたします。

ありがとうございました。

舛田光洋

２００６年１月吉日

参考文献一覧

『割れ窓理論による犯罪防止』（G.L. ケリング著　C.M. コールズ著　文化書房博文社）
『看護覚え書』（フロレンス・ナイチンゲール著　現代社）
『人生を変える 80 対 20 の法則』（リチャード・コッチ著　ティビーエスブリタニカ）
『水は答えを知っている』（江本勝著　サンマーク出版）
『人は見た目が 9 割』（竹内一郎　新潮社）
『図解ビジネス心理学 1　モチベーション』（林恭弘著　総合法令出版）
『前田義子の強運に生きるワザ』（前田義子著　小学館）
『かわいいお肌ＢＯＯＫ』（寺門琢己著　大和書房）
『bea's UP』（2003 年 10 月号　ベルシステム 24）
『温め美人プログラム』（石原結實著　WAVE 出版）
『石原式朝だけにんじんジュースダイエット』（石原結實著　海竜社）
『ガラクタ捨てれば自分が見える』（カレン・キングストン著　小学館）
『恋愛風水』（李家幽竹著　ワニブックス）
『ディズニー名作ゴールド絵本　シンデレラ』（森はるな文・解説　講談社）
『ディズニー名作ゴールド絵本　白雪姫』（森はるな文・解説　講談社）